Samsara

Samsara
SONIA EDWARDS

Argraffiad cyntaf: 2018
© Hawlfraint Sonia Edwards a'r Lolfa Cyf., 2018

Cynllun y clawr: Sion Ilar

Rhif Llyfr Rhyngwladol: 978 1 78461 615 1

Dymuna'r cyhoeddwyr gydnabod cymorth ariannol
Cyngor Llyfrau Cymru

Cyhoeddwyd ac argraffwyd yng Nghymru
ar bapur o goedwigoedd cynaliadwy gan
Y Lolfa Cyf., Talybont, Ceredigion SY24 5HE
e-bost ylolfa@ylolfa.com
gwefan www.ylolfa.com
ffôn 01970 832 304
ffacs 01970 832 782

Samsara – gair o'r iaith Sanskrit.

Mae'n meddwl
'trawsnewidiad' neu **'ailenedigaeth'**.

Sam

Mae'r peiriant coffi yn **chwyrnu** fel peth byw. Peth **peryglus**, sydd wedi bod yn cysgu'n rhy hir dan **y ddaear**. Rhywbeth sydd yn deffro tu ôl i'r cownter.

Dw i'n meddwl am ffilmiau Spiderman. Am bethau sy'n byw o dan y ffordd. Maen nhw yno am **ganrifoedd**, yn cuddio, yn tyfu. Yn aros i rywbeth eu deffro nhw.

Eu **procio**.

Eu **gwylltio**.

'Hoffech chi rywbeth arall?' Mae ei geiriau hi ac **arogl** y coffi yn un. Yn **hofran**. Dw i ddim yn clywed y cwestiwn, ond dw i'n ateb.

Dyma'r math o gaffi sy'n fwy na chaffi. Yn ddrud a **di-lol**, y bwyd yn ffasiynol o **iach**. Y math o gaffi lle mae'r staff yn dod atoch chi. **Cymysgedd** o *hippy chic* a **gwasanaeth** hen ffasiwn.

Mae'r **wetres** yn gwisgo lipstic du ac mae ei phengliniau hi'n frown trwy'r **tyllau** yn ei jîns. Ond mae'r lliw ar ei **gwefusau**'n fwy o Midnight Espresso na Grungy Goth, ac mae'r tyllau yn y llefydd iawn. Lipstic gan Chanel. Tyllau gan Ralph Lauren.

chwyrnu – *to growl, to snore*	**peryglus** – *dangerous*
y ddaear – *the earth*	**canrif(oedd)** – *century (centuries)*
procio – *to poke, to stimulate*	**gwylltio** – *to enrage*
arogl(euon) – *smell(s), aroma(s)*	**hofran** – *to hover*
di-lol – *no-nonsense*	**iach** – *healthy*
cymysgedd – *mixture*	**gwasanaeth** – *service*
wetres – *waitress*	**twll (tyllau)** – *hole(s)*
gwefus(au) – *lip(s)*	

Mae'r **blerwch** arbennig yma yn ddrud, wedi costio mwy nag y basai wetres **fel arfer** yn gallu ei **fforddio**.

Dw i'n **archebu** fy ail *flat white*. Fedra i ddim eistedd yma am lawer hirach yn edrych ar gwpan **gwag**. Mae hi'n troi ac yn cerdded oddi wrth y bwrdd, ei chefn yn **gul** a'i phen ôl yn **grwn**. Mae'n **ysgwyd** ei phen er mwyn **chwalu**'r ffrinj o'i llygaid. Yn fy **atgoffa** i o Laura.

Fi oedd wedi gorffen pethau. O'r diwedd. **Hen bryd.** Doedd ein **perthynas** ni ddim **i fod** wedi digwydd o gwbl. Dyna fasai'r rhan fwyaf o bobol yn ei ddweud. Roedd Laura'n **briod**, yn hŷn. Ac ro'n ni'n **gelwydd** o'r dechrau. Mewn ffordd od, roedd hynny'n fy siwtio i. Do'n i ddim yn gorfod **cyfaddef** fod gen i gariad, hyd yn oed i mi fy hun. Roedd Laura **wastad** yn mynd yn ôl at rywun arall. Roedd yn rhaid iddi hi.

Fasai hi byth yn ei adael o. Roedd hynny'n glir o'r dechrau. 'Fedra i ddim rhoi mwy na hyn i ti, Sam.' Ac roedd hynny'n ocê. **I raddau.** Yna dechreuodd hi a'i gŵr fynd ar eu gwyliau'n fwy aml i wledydd tramor. Fasai hi'n anfon tecst y diwrnod ar ôl dod yn ôl. **Disgwyl** i mi adael popeth i'w chyfarfod yn y 'lle **arferol**'.

blerwch – *untidiness, shabbiness*	**fel arfer** – *usually*
fforddio – *to afford*	**archebu** – *to order*
gwag – *empty*	**cul** – *narrow*
crwn – *round*	**ysgwyd** – *to shake*
chwalu – *to scatter, to spread*	**atgoffa** – *to remind*
hen bryd – *about time*	**perthynas** – *relationship*
i fod – *supposed to*	**priod** – *married*
celwydd – *lies*	**cyfaddef** – *to admit*
wastad – *always*	**i raddau** – *to some extent*
disgwyl – *to expect*	**arferol** – *usual*

Mi ges i **lond bol**. Doedd gen i ddim **rheolaeth** ar bethau, ac erbyn hyn doedd hynny ddim yn ocê.

Ro'n i'n fy **meio** fy hun. Wrth gwrs fy mod i. Wedi'r cyfan, fy newis i oedd cychwyn perthynas efo merch briod. Ches i erioed fawr o lwc â merched **sengl**. Roedd rheiny'n disgwyl gormod: symud i mewn, cyfarfod y teulu, **modrwyau**. Faswn i byth yn medru **ymrwymo**. Faswn i byth yn medru gadael i berthynas **ddatblygu**. Roedd rhywbeth tu mewn i mi, rhyw lais, rhyw **reddf**, yn fy nhynnu i'n ôl. Wrth **barhau** gyda pherthynas, ro'n i'n **anffyddlon** i mi fy hun.

Penderfynais i mai rhyw fath o ffobia oedd gen i – yr ofn yma o roi fy nghalon, fy mywyd, yn nwylo neb. Dyna pam roedd Laura'n **ddelfrydol** yn y dechrau – dim **clymau**, dim calonnau. Dim ond y **rhyw noeth** ac adre wedyn. Mae o'n swnio'n **glinigol** oherwydd mai felly oedd pethau. Yr **eironi** oedd mai Laura ddechreuodd fynd yn niwsans, dim fi. Roedd hi'**n gaeth** i'r peth, i'r **cyffro** pan o'n ni'n cyfarfod. Mi **ddylwn i** fod wedi bod wrth fy modd. Yn hapus. Ond erbyn hyn, roedd chwarae'r gêm yn ôl ei **rheolau** hi wedi dechrau mynd yn ddiflas.

llond bol – *a bellyful, enough*	**rheolaeth** – *control*
beio – *to blame*	**sengl** – *single*
modrwy(au) – *ring(s)*	**ymrwymo** – *to commit*
datblygu – *to develop*	**greddf** – *instinct*
parhau – *to continue*	**anffyddlon** – *unfaithful*
penderfynu – *to decide*	**delfrydol** – *ideal*
cwlwm (clymau) – *knot(s), tie(s)*	**rhyw noeth** – *naked sex*
clinigol – *clinical*	**eironi** – *irony*
yn gaeth i – *addicted to*	**cyffro** – *excitement*
dylwn i – *I should*	**rheol(au)** – *rule(s)*

'Dw i'n dy **edmygu** di, Laura.'

Fedrwn i ddim dweud 'caru'. Doedd o ddim yn wir.

'Edmygu?' Ro'n ni newydd fod yn y gwely ac roedd ei gwefusau hi'n noeth, yn gwneud iddi **edrych ei hoed**. 'Edmygu? Fel taset ti'n sôn am gar, neu long. Neu geffyl!'

Ond roedd o'n wir. Ro'n i *yn* ei hedmygu hi. Yn edmygu'r ffordd roedd hi'n siapio'i **haeliau**, yn **coluro** ei hwyneb, yn lliwio ei gwallt ac yn ei wisgo'n **flêr** ar dop ei phen weithiau. Ro'n i'n hoffi siâp ei phen ôl hi mewn jîns a'r **bwlch** hir rhwng ei **chluniau** hi mewn legins. Yn hoffi **meddalwch** gwyn ei **bronnau** hi. Ond do'n i ddim yn ei charu hi. Do'n i ddim hyd yn oed yn siŵr oedd hi'n fy **nghyffroi** i erbyn hyn.

Dw i ddim yn siŵr iawn oes unrhyw beth yn fy nghyffroi i **bellach**. Ella mai person **diemosiwn** ydw i. Mae'r caneuon cariad y baswn i'n gwrando arnyn nhw ers talwm wedi mynd yn hen. Dydy'r rhai newydd ddim yn gwneud dim i mi. Dw i'n fflat, fel yr ail goffi sydd ar ei ffordd.

Dydy Laura ddim wedi cysylltu ers i ni orffen. Ro'n i'n meddwl y basai hi wedi tecstio, o leiaf, tasai hynny ond i ddweud rhywbeth cas. Dw i'n **siomedig**, ond dim am fy mod i ei heisiau hi'n ôl. Na, dim hynny ydy o. Dim ond siomedig fy mod i'n **golygu** cyn lleied iddi. Doedd hi ddim eisiau **ymladd** drosta i.

edmygu – *to admire*	**edrych ei hoed** – *to look her age*
ael(iau) – *eyebrow(s)*	**coluro** – *to apply make-up*
blêr – *untidy*	**bwlch** – *gap*
clun(iau) – *thigh(s)*	**meddalwch** – *softness*
bron(nau) – *breast(s)*	**cyffroi** – *to excite*
bellach – *any more; by now*	**diemosiwn** – *emotionless*
siomedig – *disappointed*	**golygu** – *to mean*
ymladd – *to fight*	

Mae'r ferch efo'r lipstic du'n rhoi'r coffi ffres ar y bwrdd ac yn **cydio yn** y llestri **budr**. Dw i'n **sylwi** ar y **styden** uwchben ei llygad dde a'r rhai sydd yn ei chlustiau. Wrth iddi siarad a gwenu dw i'n sylwi fod ganddi hi bêl fach **arian** yn ei thafod hefyd. Mae'n ormod, fel gormod o gomas mewn **brawddeg**. Ond ei **hewinedd** hi sy'n tynnu fy **sylw** fwyaf. Maen nhw'n hir ac yn **finiog** ac yn **batrymau** du a gwyn. Dw i'n meddwl am sebras a **lloriau** teils a chrysau gwyn mewn angladdau. Mae carreg fach **ddiemwnt** Swarovski ar un ewin. Maen nhw'n **berffaith**. Fedra i ddim tynnu fy llygaid oddi arnyn nhw. Mae hi'n sylwi arna i'n **syllu** arnyn nhw.

'**Trawiadol**, tydyn? Mae pawb yn sylwi arnyn nhw, maen nhw mor wahanol.'

'Fel ti,' meddai fi, yn disgwyl iddi **gochi**. Dydy hi ddim.

'Mae popeth dan ni'n ei wisgo yn dweud rhywbeth amdanon ni fel pobol,' meddai. 'Dylai dillad wneud mwy na'n cadw ni'n gynnes.'

'Ac yn **weddus**!'

Mae'n **anwybyddu** fy sylw olaf. **Wela i ddim bai arni**.

cydio yn − *to take hold of*	**budr** − *dirty*
sylwi − *to notice*	**styden** − *stud*
arian − *silver*	**brawddeg** − *sentence*
ewin(edd) − *nail(s)*	**sylw** − *attention*
miniog − *sharp*	**patrwm (patrymau)** − *pattern(s)*
llawr (lloriau) − *floor(s)*	**diemwnt** − *diamond*
perffaith − *perfect*	**syllu** − *to stare*
trawiadol − *striking*	**cochi** − *to blush*
gweddus − *decent*	**anwybyddu** − *to ignore*
wela i ddim bai arni − *I don't blame her*	

Roedd yn swnio fel **ymgais dila** i fflyrtio. Dim dyna oedd fy **mwriad** i, ond doedd hi ddim i fod i wybod hynny. Mae hi'n newid y sgwrs i **gyfeiriad** niwtral. Yn ei gwneud hi'n glir does ganddi ddim diddordeb mewn tynnu coes. Ond mae hi'n credu'n ddigon cryf yn yr hyn sydd ganddi hi i'w ddweud i barhau gyda'r sgwrs.

'Mae dillad yn **ddatganiad**,' meddai.

'O beth?'

'O'r hyn wyt ti.'

Ac **ar hynny** mae hi'n **troi ar ei sawdl** ac yn **diflannu** i gyfeiriad y peiriant coffi, sy'n dal i ferwi fel draig mewn jar. Mae hi'n credu fy mod i'n ei ffansïo hi. Dw i'n gallu gweld hynny o'r ffordd mae hi'n ysgwyd ei phen ôl wrth gerdded oddi wrtha i.

Dw i ddim.

Ond mi faswn i'n rhoi unrhyw beth i gael ewinedd fel ei rhai hi.

---

ymgais dila – *a feeble effort*	**bwriad** – *intention*
cyfeiriad – *direction*	**datganiad** – *statement*
ar hynny – *there and then*	
troi ar ei sawdl – *to turn around (lit. to turn on her heel)*	
diflannu – *to disappear*	

Tania

Mae'r rhan fwyaf o'r athrawon yn ocê. Wel, y rhai ifanc. 'Dyn nhw ddim **wedi arfer bod** mewn dosbarth heb **gymhorthydd**, nac ydyn? Ond mae **ambell un** o'r **hen lawiau** yn edrych i lawr eu trwynau arnon ni. Yn dweud does dim angen 'helpars' arnyn nhw, wir, diolch yn fawr iawn!

Mae Nora Pritchard yn **gwrthod** derbyn yr un ohonon ni i'w gwersi **Addysg Grefyddol**. Bu bron iddi fynd at ei **hundeb** ynglŷn â'r peth. Ofn i bawb arall ddod i wybod ei bod hi'n athrawes *shit* mae hi. Dyna pam ei bod hi gymaint yn erbyn cymorthyddion. Mae'r **Pennaeth** wedi **tawelu** pethau a gadael iddi gael ei ffordd. Does gan yr hen bitsh ddim llawer i fynd eto tan iddi ymddeol beth bynnag, felly mae pawb yn dioddef yn ddistaw tan hynny. Ond mae hi'n **absennol** yn amlach nag y mae hi yn yr ysgol. **Athrawon llanw** sydd yn dod yma yn ei lle hi wedyn am ddyddiau lawer. Mae'r rheiny **'n fwy na balch** i'n

---

wedi arfer bod – *used to being*

cymhorthydd (cymorthyddion) – *classroom assistant(s)*

ambell un – *a few, the odd one*

hen lawiau – *old hands, people with experience*

gwrthod – *to refuse*

Addysg Grefyddol – *Religious Education*

undeb – *union*   **pennaeth** – *headteacher, head*

tawelu – *to calm*   **absennol** – *absent*

athrawon llanw – *supply teachers*

yn fwy na balch – *more than pleased*

12

cael ni yna efo nhw. Dan ni'n adnabod y plant. Yn gwybod efo pa rai o'r **diawliaid** bach mae angen llygaid tu ôl i dy ben – ac yn dy ben ôl.

'Panad, Tans?'

Sam Bowen sy'n **cynnig**. Mae o'n un o'r bois iawn. Athro Hanes ifanc **golygus**. Mi faswn i'n medru mynd amdano fo, taswn i ddim yn hapus iawn efo Ifan, fy mhartner ers deng mlynedd. Dim ond ffrindiau ydy Sam a fi ond fedra i ddim deall pam fod rhywun mor lyfli â fo'n sengl, ac yntau bron yn dri deg bellach. Heb gyfarfod yr un iawn eto. Dyna oedd ei ateb pan wnes i ofyn iddo fo unwaith.

'Wyt ti'n barod am fory?' Er ei fod o'n gwybod dydw i ddim.

'Does gen i ddim llawer o **hyder** efo pethau fel hyn, ti'n gwybod. **Tynnu sylw** ata i fy hun.'

'C'mon, Tans. Mae o at **achos da**. Mi fydd pawb yn edrych yn wirion!'

Syniad y **Chweched Dosbarth** ydy'r Diwrnod Gwisg Ffansi. Maen nhw wedi penderfynu codi arian tuag at yr ysgol fel rhan o'u gwaith BAC. Pawb i dalu punt am gael edrych yn wirion am ddiwrnod cyfan. Dw i wedi **cael benthyg** siwt pengwin. O leiaf fydd neb yn fy adnabod i os bydda i'n tynnu'r **pig** i lawr dros fy wyneb. Gobeithio na fydd y gwres canolog ymlaen drwy'r dydd neu mi fydda i wedi cael strôc. Dw i'n edmygu

diawl(iaid) – *devil(s)*	**cynnig** – *to offer*
golygus – *handsome*	**hyder** – *confidence*
tynnu sylw – *to draw attention*	**achos da** – *good cause*
Chweched Dosbarth – *Sixth Form*	**cael benthyg** – *to borrow*
pig – *beak*	

ysgwyddau **llydan** Sam. Mi fasai o'n edrych yn dda fel **arwr**. A dw i'n dweud hynny wrtho.

'Dw i'n siŵr dy fod di'n dipyn o Clark Kent o dan y crys a'r tei 'na, Sam!'

Mae **corneli**'i lygaid o'n **crychu** wrth iddo gymryd **llowc** o goffi poeth.

'Be? Ti'n meddwl baswn i'n troi i fyny fory mewn dillad Superman, wyt ti?'

'Superman. Spiderman. Batman. Pa **wahaniaeth**? Mi faset ti'n edrych yn grêt mewn teits. Mae gen ti well coesau na'r rhan fwyaf o'r merched ar y staff 'ma!'

'O? A sut wyt ti'n gwybod?' Dim ond hwyl ydy o. **Pryfocio**. Tynnu coes.

'Dw i wedi bod yn sbio arnat ti pan ti'n aros ar ôl gyda'r ymarferion pêl-droed. Dw i wedi sylwi ar y legins bach du 'na sgen ti o dan dy siorts!'

Mae Sam yn dal i wenu a dw i'n gwybod ei fod o'n rhan o'r jôc. Dw i ddim wedi dweud **dim byd o'i le**. Ond mae yna rywbeth yn ei lygaid dydw i ddim yn medru ei ddarllen. Rhyw fflach **sydyn**. Ai **direidi** ydy o? Ac eto, yn **ddwfn** yn ei olwg, mae rhywbeth trist tebyg i **hiraeth**. Fflach ydy o. Sbarc sydyn a dim byd wedyn, fel **tân gwyllt** allan yn y glaw.

---

llydan – *broad*	**arwr** – *hero*
cornel(i) – *corner(s)*	**crychu** – *to wrinkle*
llowc – *gulp*	**gwahaniaeth** – *difference*
pryfocio – *to provoke*	**dim byd o'i le** – *anything wrong*
sydyn – *sudden*	**direidi** – *mischief*
dwfn – *deep*	**hiraeth** – *longing*
tân gwyllt – *fireworks*	

Mae'r gloch yn canu, ac mae Sam yn **lluchio gweddill** y coffi i lawr y sinc ac yn **edrych i fyw fy llygaid** am eiliad. Ei dro fo **ar ddyletswydd** ar yr iard. Mae'n **estyn am** ei siaced oddi ar gefn un o'r cadeiriau ac yn taflu winc sydyn dros ei ysgwydd:

'Aros di, Tania Evans,' meddai. 'Aros di.'

---

lluchio – *to throw*	**gweddill** – *the remainder*

edrych i fyw fy llygaid – *to look me straight in the eye*

ar ddyletswydd – *on duty*	**estyn am** – *to reach for*

Brawd a Chwaer

Roedd hi'n **haws** cuddio'r **cleisiau** pan oedden nhw ar y tu mewn. Ond pan oedden nhw ar y tu allan hefyd, gwrthododd Margret Ann fynd allan o'r tŷ. Roedd ganddi wastad **esgus** pan fasai rhywun yn galw.

'Dw i wedi taro fy mhen ar ddrws y cwpwrdd.'

'Dw i wedi **llithro** wrth fynd i'r bath.'

'Dw i wedi llosgi fy llaw wrth dynnu bwyd o'r **popty**.'

Ond dydy hi ddim mor hawdd **cael hyd i** esgus dros **losg** sigarét.

'Mae'n rhaid i ti ddechrau dweud y gwir, Margret Ann.'

Byth yn Mags nac yn Magi. Margret Ann roedd o wedi ei galw hi erioed, ers pan oedden nhw'n blant. Margret Ann roedd ei rhieni wedi arfer ei galw hi hefyd. A'i theulu. A'i ffrindiau. Dim ond Gari oedd yn ei galw hi'n Jen. Fel yr actores Jennifer Larwence. Yn trio'i throi hi'n **bishyn del**. Yn ei gwneud hi'n rhywun doedd hi ddim. Yn ei **mowldio** i'w **blesio**'i hun. Ym mhob ffordd.

Roedd ei llygaid fel **pyllau** dŵr glaw wrth iddi edrych ar ei brawd. Gwelodd Sam y **gwirionedd** ynddyn nhw: ro'n i'n

haws – *easier*	**clais (cleisiau)** – *bruise(s)*
esgus – *excuse*	**llithro** – *to slip, to slide*
popty – *oven*	**cael hyd i** – *to find*
llosg – *a burn*	**pishyn del** – *an attractive person, a babe*
mowldio – *to mould*	**plesio** – *to please*
pwll (pyllau) – *puddle(s)*	**gwirionedd** – *truth*

gadael iddo fy **ngham-drin** i oherwydd ro'n i'n credu 'mod i'n ei **haeddu** o. Roedd Gari yn gwneud i mi gredu mai **arna i oedd y bai**. Ond y cyfan a ddywedodd Margret Ann yn uchel oedd:

'Ro'n i'n ei garu o, Sam.'

Mae cariad yn rhy **greulon** weithiau.

---

cam-drin – *to abuse*   **haeddu** – *to deserve*

arna i oedd y bai – *it was my fault*

creulon – *cruel*

Sam

Dw i'n **rhannu** tŷ efo fy chwaer ers iddi hi gael ysgariad oddi wrth Gari. Wel, i fod **yn fanwl gywir**, Margret Ann symudodd i mewn ata i. **Rhentu** oedd hi a Gari, felly doedd yna ddim **hasl** efo gwerthu'r tŷ. Ei hofnau a'i **hansicrwydd** hi ei hun oedd yn rhoi hasl i Margret Ann. Roedd hi'n teimlo'n fwy **diogel** yn byw efo fi. Roedd y cyfan yn gweithio'n dda i'r ddau ohonon ni. Ro'n i'n falch o'r cwmni, ac roedd yr arian rhent yn helpu gyda'r **morgais**.

'Be tasai gen ti gariad eisiau symud i mewn?' gofynnodd hi. 'Mi fasai'r **ffaith** fy mod i yma'n **drysu** pethau i ti.'

'Pam?' atebais. 'Mae lot o bobol efo cariadon yn rhannu tŷ efo rhywun arall. Dydy o ddim yn gwneud llawer o wahaniaeth.'

A doedd o ddim. Ond dw i'n meddwl mai'r **rheswm** am hynny yw hyn: dw i erioed wedi bod efo neb yn ddigon hir i gyrraedd y **cam** nesaf. Faswn i byth yn cyfaddef hyn, ond dim Margret Ann ydy'r unig un sy'n teimlo'n ddiogel. Mae hi'n fy nghadw i'n ddiogel hefyd. Yn cadw'r **pwysau** oddi arna i. Yn gadael i mi gredu fod cariadon **dros dro** yn ocê, a bod dim angen chwilio am bartner bywyd eto. Pam fod pawb yn meddwl fod yn

rhannu – *to share*	**yn fanwl gywir** – *strictly accurate*
rhentu – *to rent*	**hasl** – *hassle*
ansicrwydd – *uncertainty*	**diogel** – *safe*
morgais – *mortgage*	**ffaith** – *fact*
drysu – *to confuse, to make things difficult*	
rheswm – *reason*	**cam** – *step*
pwysau – *pressure*	**dros dro** – *temporary, short-term*

rhaid priodi cyn cyrraedd tri deg oed i fod yn hapus? Weithiodd o ddim i Margret Ann.

Mi welais i Gari chwe mis ar ôl iddyn nhw **wahanu**. Roedd y ferch ar ei fraich yn debyg iawn i fy chwaer: gwallt golau, croen golau. Bach. **Bregus**. Hanes yn **ailadrodd** ei hun. Roedd hi'n edrych i lawr ar ei thraed wrth gerdded. Ac roedd arna i eisiau **gweiddi: rhed!** Rhed, pwy bynnag wyt ti. Rhed i ffwrdd oddi wrth y bastard yma cyn iddo fo **ddifetha** dy fywyd dithau. Ond doedd gen i ddim **hawl**. Do'n i ddim yn medru gwneud dim byd ond gwylio ei law am ei chanol, yn **gwasgu defnydd** ei chôt, fel tasai o'n gwasgu petalau blodyn.

Mae Margret Ann yn y tŷ cyn i mi gyrraedd adre o'r gwaith. Mae arogl caserol yn llenwi'r gegin.

'Does dim rhaid i ti goginio i ni bob nos.' Er fy mod i'n hapus iawn ei bod hi'n **dewis** gwneud hynny, gaeth hi ei **thrin** fel **morwyn** gan Gari. Ond dim morwyn ydy hi yma.

'Dw i'n mwynhau coginio. Mae'n help i **ymlacio**. Wyt ti'n mynd allan heno?'

'Sgen i ddim **cynlluniau**. Pam?'

'Jyst meddwl.'

Dw i'n ateb y cwestiwn dydy hi ddim yn ei ofyn. Dw i'n gwybod does dim rhaid i mi. Ond dw i angen fy nghlywed fy

gwahanu – *to separate*	**bregus** – *fragile*
ailadrodd – *to repeat*	**gweiddi** – *to shout*
rhed! – run!	**difetha** – *to ruin*
hawl – *a right*	**gwasgu** – *to squeeze*
defnydd – *material*	**dewis** – *to choose*
trin – *to treat*	**morwyn** – *maidservant*
ymlacio – *to relax*	**cynllun(iau)** – *plan(s)*

hun yn dweud y geiriau'n uchel.

'Mae Laura a fi wedi gorffen.'

Margret Ann oedd yr unig un oedd yn gwybod am ein **cyfrinach** ni.

'O?' Ac mae hi'n troi i edrych arna i. 'Mae'n ddrwg gen i glywed.'

Ond mae'i llygaid hi'n dweud rhywbeth gwahanol.

---

cyfrinach – *secret*

Tania

'O mai god, Sam!'

Dyna'r cyfan dw i'n gallu ei ddweud. Mae pawb yn yr **ystafell athrawon** yn **piso chwerthin**. Pawb ond Nora Pritchard. Mae hi'n **cymryd arni** dydy hi ddim yn deall y jôc o gwbl.

Am ei bod hi'n Ddiwrnod Gwisg Ffansi, mae digon o chwerthin a thynnu coes **p'run bynnag**. Mae rhai **aelodau** o'r staff wedi mynd i fwy o **drafferth** na'i gilydd, wrth gwrs. Y rhai ifanc sydd wedi mynd ati i greu **argraff**, yn **llogi** gwisgoedd proffesiynol ac yn edrych fel tasen nhw wedi gwario punnoedd i edrych fel Harry Potter a Wonder Woman a Bart Simpson.

Yn rhyfedd iawn, y rhai sy'n edrych yn fwyaf doniol yw pobol ddiflas fel Mike Maths sy wedi sticio mwstás o dan ei drwyn a chap pysgota am ei ben a does gan neb syniad yn y byd pwy ydy o i fod. Wn i ddim pa air i'w ddefnyddio i **ddisgrifio** gwisg Sam Bowen. Doniol? **Mentrus**? **Digywilydd**? Mae un peth yn sicr: does neb yn medru cystadlu efo fo.

Sut gaeth o hyd i'r union ffrog **flodeuog** o Next mae Nora Pritchard yn arfer ei gwisgo? (Dydy Nora ddim wedi **ymuno**

ystafell athrawon – *staff room*	
piso chwerthin – *to wet oneself laughing*	
cymryd arni – *to pretend*	**p'run bynnag** – *anyway*
aelod(au) – *member(s)*	**trafferth** – *trouble*
argraff – *impression*	**llogi** – *to hire*
disgrifio – *to describe*	**mentrus** – *daring*
digywilydd – *shameless*	**blodeuog** – *flowery*
ymuno – *to join*	

yn yr hwyl o gwbl, mae hi wedi dod i'r ysgol yn ei dillad arferol. Dim yr un ffrog â Sam sy ganddi hi heddiw, diolch i Dduw!) Mae Sam yn edrych yn well ynddi hi na wnaeth Nora erioed. Mae ganddo fo wig **chwaethus** yn **union** steil *bob* Nora. Mae'n **amlwg** hefyd fod rhywun proffesiynol wedi coluro'i wyneb, ac mae sbectol **fenywaidd biws** (eto fel un Nora!) yn cuddio ei aeliau blewog. Mae fel fersiwn mwy ifanc, mwy **deniadol** o'r athrawes ganol oed. **Does dim amheuaeth** pwy ydy o i fod. Yr eironi ydy dydy Sam ddim yn edrych fel dyn mewn drag. Mae o'n edrych fel merch, yn sefyll fel merch, yn cerdded fel merch. Yn taflu'r gwallt **ffug** o'i lygaid gyda chefn ei law, yn union fel merch.

'Wow, Sam! Dw i'n gwybod wnes i ddweud y baset ti'n edrych yn dda mewn teits! Ond do'n i ddim wedi disgwyl hyn!'

'Dw i ddim yn meddwl bod Nora wedi disgwyl hyn chwaith,' ydy sylw Mike Maths gan chwerthin fel **morlew** yn **torri gwynt**. Mae hanner ei fwstás wedi **disgyn** i lawr yn barod.

Dyma fydd **ymateb** y disgyblion hefyd, mae'n debyg: O, tydy Mr Bowen yn gês! Yn weindio Nora Pritch ddy Witch i fyny i'r pen! Gwych! Ond ma 'na rywbeth bach **o'i le**. Rhywbeth sydd ddim cweit yn iawn. Dw i'n adnabod Sam Bowen yn dda, yn well na'r rhan fwyaf ohonyn nhw yma. Dw i'n edrych arno heb iddo fo sylwi, yn astudio pob un o'i symudiadau. Hwyl ydy hyn

chwaethus – *tasteful*	**union** – *exact*
amlwg – *obvious*	**benywaidd** – *feminine*
piws – *purple*	**deniadol** – *attractive*
does dim amheuaeth – *there's no doubt*	
ffug – *fake*	**morlew** – *sea lion*
torri gwynt – *to break wind*	**disgyn** – *to fall*
ymateb – *reaction; to react*	**o'i le** – *wrong*

i fod, ie, ond mae hi fel tasai Sam yn mwynhau gormod. Yn rhy **gyfforddus** yn ei wisg ffansi. Mae ei lygaid o'n dawnsio. Mae lliw ar ei wyneb. Mae o'n gwenu go iawn.

A dw i wir yn gobeithio, am rŵan, does dim un o'r lleill yn mynd i sylwi – **yn enwedig** plant yr ysgol – ar yr hyn dw i wedi sylwi arno fo.

Mae Sam Bowen, Pennaeth yr **Adran Hanes**, hyfforddwr tîm pêl-droed y bechgyn dan un deg chwech, yn fwy hapus yn gwisgo ffrog.

---

cyfforddus – *comfortable*   **yn enwedig** – *especially*

Adran Hanes – *History Department*

Margret Ann

'Wnei di fy helpu i efo'r colur?'

Yr hyn roedd arno eisiau ei ofyn oedd: Wnei di goluro fy wyneb? Ro'n i'n fodlon gwneud hynny, wrth gwrs fy mod i. Hwyl oedd y Diwrnod Gwisg Ffansi yma, ond roedd Sam yn cymryd y cyfan **o ddifri**. Gormod o ddifri, yn fy marn i. Dw i ddim yn rhy siŵr a ydy **dynwared** athrawes go iawn yn syniad da chwaith. Er mor **amhoblogaidd** ydy'r Nora yma, yn ôl pob sôn, fedra i ddim peidio â meddwl ei fod o'n rhywbeth creulon i'w wneud.

Mae Sam wedi bod yn frawd mawr perffaith. Edrychodd ar fy ôl i tra oedd fy mywyd i'n chwalu o fy nghwmpas i. Roedd Gari wedi chwalu fy hyder i, fy **hunan-barch** i. Cariodd Sam fi drwy'r ysgariad. Roedd o'n gryf, yn **ddibynadwy**. Ac er bod hyn yn swnio'n secsist ac yn wan, ella, roedd o'n ddyn i gyd. Yn rhywun y gallwn i **bwyso ar**no fo. Tasai Dad yn fyw, felly basai fo hefyd. Basai wedi bod yn graig. **Safodd** Sam **yn y bwlch**. Dyn y teulu. Fasai Gari byth wedi ei **herio** fo. Wrth gwrs, roedd hi'n hawdd bod yn fwli efo fi ond doedd arno ddim eisiau wynebu fy mrawd mawr, yn hyder ac yn **gyhyrau**

o ddifri – *seriously*	**dynwared** – *to imitate*
amhoblogaidd – *unpopular*	**hunan-barch** – *self-respect*
dibynadwy – *dependable*	
pwyso ar – *to lean on, to rely on*	
sefyll yn y bwlch – *to protect (lit. to stand in the gap)*	
herio – *to challenge, to defy*	**cyhyrau** – *muscles*

i gyd. Na, **cachgi** oedd Gari unwaith i Sam droi arno fo.

Mae'n anodd darllen Sam y dyddiau hyn. Dw i ddim yn siŵr sut mae'r berthynas efo Laura wedi **effeithio** arno fo. Doedd hi ddim yn gwybod y gwir i gyd: fy mod i'n gwybod amdani hi a Sam. Doedd o ddim wedi dweud wrthi hi ei fod o wedi cyfaddef y cyfan wrth ei chwaer. Ond mae'n rhaid i bawb gael rhywun, yn does? Rhywun i wrando. Roedd Laura'n gallu bod yn rêl hen **ast**. Hi oedd yn briod, ond roedd hi wastad yn ei **gyhuddo** fo o weld merched eraill tu ôl i'w chefn. Allwn i wir ddim credu **bod ganddi'r wyneb** i ddweud **y fath beth**. Ro'n i'n meddwl fod ganddo fo **feddwl y byd o** Laura, ond rŵan dw i ddim mor siŵr. Dywedodd o wrtha i eu bod nhw wedi gorffen, ond doedd o ddim yn **ymddwyn** fel tasai o wedi torri ei galon. Basai'n anodd iawn iddo guddio rhywbeth felly, a ninnau'n byw yn yr un tŷ, yn bwyta wrth yr un bwrdd, yn gwylio'r un teledu efo'n gilydd gyda'r nos.

Fydd o ddim adre o'i waith yn gynnar iawn heno. Ymarfer pêl-droed. Dw i'n gwybod dydy o ddim yn disgwyl ei fwyd yn barod ar y bwrdd bob nos, fel taswn i'n wraig iddo fo. Mae o wedi dweud hynny. Dim morwyn wyt ti, Margret Ann. Dydy o ddim eisiau i mi feddwl fod pob dyn fel Gari. Dw i'n **gwerthfawrogi** hynny, ond dw i'n mwynhau coginio ar ei

---

cachgi – *coward*	**effeithio** – *to affect*
gast – *bitch*	**cyhuddo** – *to accuse*
bod ganddi'r wyneb – *that she had the cheek*	
y fath beth – *such a thing*	
meddwl y byd o – *to think the world of*	
ymddwyn – *to behave*	**gwerthfawrogi** – *to appreciate*

gyfer o, cadw tŷ. Dim bod yn **wrth-ffeministaidd** ydw i. Felly ydw i. Mae gen i swydd fach ran-amser yng nghaffi'r **ganolfan arddio**, yn paratoi bwyd yn y cefn ar gyfer yr awr ginio. Dw i wrth fy modd yno. Ac mae edrych ar ôl Sam yn ffordd o ddiolch iddo am fy **achub** i oddi wrth Gari, fy helpu i gael fy mywyd yn ôl.

'Ti'n ffysian gormod, Margret Ann. Does dim rhaid i ti gadw fy nillad glân i'n ôl yn y droriau! Dim fy mam i wyt ti. *Chill out*.'

Dw i'n gwenu ac yn dweud 'ocê' ac yn **dal ati** i **glowcian** ar ei ôl o fel hen iâr. Fedra i ddim peidio. Mae gen i ofn meddwl am Sam yn cael hyd i'r ferch iawn rhyw ddiwrnod. Dw i'n gwybod y baswn i'n **genfigennus** o unrhyw un fasai'n **dwyn** fy mrawd oddi arna i. Mae'r dillad yn fy nwylo'n gynnes ar ôl eu **smwddio**, yn gwneud i mi feddwl am Mam, a dw i'n **llyncu deigryn** cyn iddo fo gyrraedd fy llygaid. Wnaethon ni golli Mam i ganser pan oedden ni'n blant. Dyna pam dan ni mor agos rŵan, dw i'n credu. Dw i'n **gwthio**'n erbyn drws ystafell Sam gydag un ysgwydd, **llond fy nwylo** o ddillad wedi eu **plygu**. Rhaid i mi eu gosod nhw ar y gwely am eiliad er mwyn agor y drôr lle mae o'n cadw'i grysau T. Mae'r drôr yn sticio, yn gwrthod agor, a dw i'n tynnu gormod nes fy mod,

gwrth-ffeministaidd – *anti-feminist*	
canolfan arddio – *garden centre*	
achub – *to rescue*	**dal ati** – *to carry on*
clowcian – *to cluck*	**cenfigennus** – *jealous*
dwyn – *to steal*	**smwddio** – *to iron*
llyncu deigryn – *to swallow a tear*	**gwthio** – *to push*
llond fy nwylo – *my hands full*	**plygu** – *to fold*

ar ddamwain, yn ei dynnu o allan i gyd. Mae'r dillad yn **llifo** dros yr **ymyl** i'r llawr. **Sidan**, **les**. Sanau merched, **nicyrs** a bras drud. Sgarffiau. Maen nhw'n bethau hyfryd i gyd ac arogl **persawr** arnyn nhw. Dw i'n meddwl am eiliad mai pethau Laura ydyn nhw. Ond dydy Laura erioed wedi bod yma. Ac roedd Laura'n fach, fel fi. **Maint** wyth neu ddeg. Mae'r rhain i gyd mewn maint llawer mwy. Llawer iawn mwy.

Maint i ffitio dyn.

llifo – *to flow*	**ymyl** – *edge*
sidan – *silk*	**les** – *lace*
nicyrs – *knickers*	**persawr** – *perfume*
maint – *size*	

Sam

Mae Tania'n edrych arna i mewn ffordd od. Dw i'n ei gweld hi'n chwerthin fel pawb arall, ond dw i'n ei hadnabod hi'n well na hynny. Dydy'r hiwmor ddim cweit yn cyrraedd ei llygaid hi.

'**Be sy'n bod**, Tans? Meddwl fy mod i wedi mynd yn rhy bell, ie?'

'Rhywbeth felly.'

Mae hi'n **swta**, yn wahanol iddi hi ei hun.

'O, Tania, tyrd! Dipyn o laff, dyna i gyd. Mae hyd yn oed Nora yn ei weld o'n ddoniol erbyn hyn!'

'Ti ddim yn mynd i aros fel yna drwy'r dydd, gobeithio.'

'Wel, Tania, fel mae'n digwydd, nac ydw. Mae gen i ddosbarthiadau ymarfer corff pnawn 'ma, ac ymarfer pêl-droed ar ôl yr ysgol. Mi fasai hi ychydig yn anodd deifio am y bêl yn gwisgo ffrog fel Nora Pritchard!'

Mae hi'n derbyn y coffi dw i'n ei roi iddi hi gyda rhyw fath o hanner gwên. Dw i ddim yn gwybod be ydy ei phroblem hi. Mae hi bron mor sych â Nora ei hun. Doedd Tania ddim mor **frwdfrydig** â hynny ynglŷn â'r diwrnod yma, ond mae hi'n fwy o hwyl na hyn fel arfer. Roedd y disgyblion i gyd yn meddwl bod fy ngwisg ffansi i'n **ddigri ar y naw**. Ond ella fod gan Tania bwynt erbyn hyn. Mater o **ddangos parch** ydy o. Mae'n hen bryd i mi newid yn ôl i fod yn Mr Bowen a pheidio ag aros yn rhy hir fel Mrs Pritchard.

Dw i'n cloi drws fy ystafell er mwyn newid y dillad. Fedra

be sy'n bod? − *what's the matter?*	**swta** − *abrupt, surly*
brwdfrydig − *enthusiastic*	**digri** − *funny*
ar y naw − *extremely*	**dangos parch** − *to show respect*

i ddim **gwadu** 'mod i wedi mwynhau'r **profiad**. Y **rhyddid**. Ro'n i'n gyfforddus yn y ffrog. Maen nhw i gyd, gan gynnwys Tania, dw i'n credu, yn meddwl mai **tynnu ar** Nora o'n i. Hwyl. Gweld ochr greulon y peth mae Tania, dw i'n siŵr, er cymaint mae hi'n **casáu**'r ffordd mae Nora'n ei thrin hi a'r cymorthyddion eraill.

Esgus oedd hynny i gyd. Y wisg ffansi. Dw i wedi trio cuddio'r ffaith ers amser hir, wedi trio gwadu popeth. Mae'n anodd cyfaddef, hyd yn oed wrtha i fy hun: mae gwisgo fel merch yn gwneud i mi deimlo'n hapus. Yn rhydd. Yn fwy o'r hyn ydw i i fod. Dim rhywbeth **rhywiol** ydy o. Rhywbeth ynglŷn â fy **rhyw** i fy hun. Pan dw i'n gwisgo fy nillad arferol, dillad dyn, dw i'n teimlo'n fwy a mwy **caeth**. Yn **mygu**.

Ond dim jyst yn y dillad.

Dw i'n mygu tu mewn i fy nghorff i fy hun.

gwadu – *to deny*	**profiad** – *experience*
rhyddid – *freedom*	**tynnu ar** – *to tease*
casáu – *to hate*	**rhywiol** – *sexual*
rhyw – *sex, gender*	**caeth** – *restricted*
mygu – *to suffocate*	

Brawd a Chwaer

Deg oed oedd Margret Ann ac roedd Sam ddwy flynedd yn hŷn. Roedd hi'n gwylio ei brawd ar ddiwrnod angladd eu mam, mewn siwt a thei, yn ymddwyn fel dyn. Roedd o'n edrych fel Dad. Roedd hi'n gwybod yn well na neb mai plentyn oedd o ar y tu mewn.

Y diwrnod hwnnw doedd Dad ddim yn gallu edrych ar neb. Roedd o wedi ei gloi tu mewn i'w **alar** ei hun. Anti Alys, chwaer Dad, oedd yn eu **cysuro** nhw, yn dal eu dwylo'n dynn yn ystod y gwasanaeth yn y capel. Yn diolch i bawb am ddod. Yn **estyn** platiau o frechdanau. Yn **tywallt** y te. Ac am amser wedyn, daeth Anti Alys atyn nhw i aros. Mi gaeth Dad esgus i stiwio yn ei **dristwch**, i anghofio amdanyn nhw. Mi **gaeth** o **lonydd** i ddiflannu am ddyddiau yn lle mynd i'r gwaith. Mi gaeth o lonydd i beidio â **siafio** na newid ei ddillad.

Roedd hi'n **gyfnod** tywyll. Ro'n nhw wedi colli un **rhiant**. Rŵan roedd hi'n teimlo fel tasen nhw'n colli'r llall hefyd, er ei fod o'n dal yn fyw. Anti Alys oedd yn gwneud pethau'n well. Ac yna, un diwrnod, fe wnaeth hi bethau'n llawer iawn **gwaeth**. Daeth eu tad nhw adre yn hwyr. Roedd arogl diod

hŷn – *older*	**galar** – *grief*
cysuro – *to comfort*	**estyn** – *to pass*
tywallt – *to pour*	**tristwch** – *sadness*
cael llonydd – *to be left in peace*	**siafio** – *to shave*
cyfnod – *(period of) time*	**rhiant** – *parent*
gwaeth – *worse*	

arno fo. Dywedodd Alys wrtho fo ei fod o'n **hunanol** a'i fod o'n ymddwyn yn **annerbyniol**. O'r ystafell drws nesaf clywodd y plant sŵn lleisiau'n codi. Sŵn llestri'n **chwalu'n ddarnau**. Sŵn **distawrwydd** a hwnnw'n dechrau llenwi efo sŵn eu tad yn **igian crio**. Wedyn, ymhen dipyn, sŵn drws ffrynt y tŷ'n cau.

Mae Margret Ann yn dal i gofio sefyll o flaen ffenest y llofft yn y **tywyllwch** yn gwylio Anti Alys yn mynd. Doedd hi ddim yn edrych fel Anti Alys chwaith. Roedd hi'n edrych fel **cysgod** du'n cario bag.

'Ti'n meddwl bydd hi'n dod yn ôl, Sam?'

'Dw i ddim yn gwybod, Margret Ann. Ond mi fydda i'n dal yma. Wastad.'

Mi wnaeth o wasgu ei llaw hi. **Clymu**'r cwlwm fasai rhyngddyn nhw am byth. Wnaethon nhw gysgu ym mreichiau'i gilydd ar **glustog** ar y llawr.

Mi wnaeth y ddau ddeffro'r bore wedyn i arogleuon bacwn yn ffrio. Roedd Dad yn y gegin yn paratoi brecwast. **Normalrwydd** bob dydd yn llifo o'r radio, canu a siarad ac **ysgafnder**.

'Dowch at y bwrdd, y ddau ohonoch chi,' meddai Dad.

Roedd o'n gwisgo **ffedog** Mam. Yn gwneud **ymdrech**.

hunanol – *selfish*	**annerbyniol** – *unacceptable*
chwalu'n ddarnau – *to shatter into pieces*	
distawrwydd – *silence*	**igian crio** – *to sob*
tywyllwch – *darkness*	**cysgod** – *shadow*
clymu – *to tie*	**clustog** – *cushion, pillow*
normalrwydd – *normality*	**ysgafnder** – *lightness*
ffedog – *apron*	**ymdrech** – *effort*

Roedd geiriau Anti Alys wedi gwneud gwahaniaeth. O'r diwrnod hwnnw ymlaen, daeth pethau'n well. Roedd o'n paratoi bwyd, yn glanhau, yn smwddio, yn helpu efo gwaith cartref. Wnaeth o ddim mynd allan i yfed **byth wedyn**.

Ond ddywedodd o erioed 'sori' chwaith.

A ddaeth Anti Alys ddim yn ôl.

---

byth wedyn – *ever again*

Margret Ann

Dw i'n nerfus. Dw i'n disgwyl i Sam ddod adre a dw i'n nerfus. Dydy hynny ddim yn iawn. Pobol eraill sydd wastad wedi gwneud i mi deimlo felly. Teimlo fel tasai fy stumog i'n gwlwm i gyd. Fel hyn ro'n i'n arfer teimlo cyn i Gari ddod i'r tŷ. Dydy Sam ddim i fod i wneud i mi deimlo fel hyn.

Sam ydy'r unig un dw i wedi gallu **dibynnu** arno. Sam sy'n gwneud popeth yn iawn. Y brawd mawr sydd wastad yna i mi. Yr **angor**. A rŵan mae hynny i gyd fel tasai o'n chwalu'n ddarnau. Y **sicrwydd**. Mae popeth wedi stopio **gwneud synnwyr**. Dw i ddim yn ei ateb o pan dw i'n ei glywed o'n gweiddi 'haia' o'r drws.

'Be sy'n bod?'

Mae o'n gallu dweud dim ond wrth edrych ar fy wyneb i.

'Margret Ann? Oes rhywbeth wedi digwydd? Ti ddim wedi gweld Gari? Mae rhywbeth wedi dy ypsetio di, dw i'n gallu dweud.'

'Es i â dillad glân i fyny i dy ystafell wely di.'

'Diolch i ti. Ond does dim rhaid i ti edrych ar fy ôl i fel morwyn, ti'n gwybod! Dw i wedi dweud wrthat ti o'r blaen.'

Mae o'n **camddeall**. Yn meddwl fy mod i'n flin am hynny.

'Dim dyna sy'n bod.'

Dw i'n clywed fy llais fy hun yn fflat. Mae crac ynddo fo. Mae arna i eisiau crio, anghofio beth wnes i weld. Ond fedra i ddim.

---

dibynnu – *to depend*	**angor** – *anchor*
sicrwydd – *certainty*	**gwneud synnwyr** – *to make sense*
camddeall – *to misunderstand*	

Sam ydy o. Mae'n rhaid i mi ofyn.

'Mae dy ddrôr di'n llawn o ddillad merched.'

Dyna fo, dw i wedi ei ddweud o. Mae'r geiriau'n nofio rhyngon ni, yn dawnsio fel **gronynnau llwch**. 'Dyn nhw ddim yn diflannu. Dydy Sam ddim yn ateb **yn syth**. Mae'r olwg ar ei wyneb yn dweud y cyfan. Mae'n codi'i lygaid o'r diwedd.

'Dydy pethau ddim fel maen nhw'n edrych. Dydy o ddim be wyt ti'n ei feddwl.'

'O? A be ydw i'n ei feddwl, Sam? Dwed wrtha i!'

Dw i'n swnio fel gwraig **ddrwgdybus**. Dw i'n fy nghasáu fy hun am fod mor flin. Ond ydw i'n **afresymol**? Roedd y peth yn sioc. Fy mrawd mawr perffaith yn hoffi gwisgo dillad merched **yn y dirgel**. Dydy o ddim yn iawn, mae o'n **afiach**. Pobol yn y papurau newydd, mewn **cylchgronau**, ar raglenni teledu, sy'n gwneud pethau fel hyn.

'Dw i ddim yn ei neud o er mwyn y cics, y cyffro. Dim rhywbeth rhywiol ydy o.'

'Pam wyt ti'n ei neud o 'ta?' Er, dw i ddim yn siŵr ydw i isio'r ateb.

'Dw i'n ei neud o er mwyn teimlo fel fi fy hun. Fel y ferch sydd tu mewn i mi. Y ferch ydw i i fod.'

Mae hi fel tasai o wedi fy nharo i gyda'i **ddwrn**. Dw i'n eistedd achos bod fy nghoesau i'n **crynu** gormod i sefyll. Mae o'n gwybod na fedra i ddim edrych arno fo. Dw i'n clywed drws

gronynnau llwch − *dust particles*	**yn syth** − *straight away*
drwgdybus − *suspicious*	**afresymol** − *unreasonable*
yn y dirgel − *in secret*	**afiach** − *unwholesome, horrible*
cylchgrawn (cylchgronau) − *magazine(s)*	
dwrn − *fist*	**crynu** − *to shake, to shiver*

yr ystafell yn agor a chau. Wedyn dw i'n clywed **clep** drws y tŷ. Sŵn diwedd rhywbeth. Dw i'n meddwl am glep drws y ffrynt tu ôl i Anti Alys, pan aeth hi a'n gadael ni'r holl flynyddoedd yn ôl.

---

clep – *slam*

Sam

Dydy yfed ar dy ben dy hun byth yn syniad da. Dim ots lle'r wyt ti. Adre. Mewn tafarn. Mewn bar. Yr un ydy'r bwriad. Anghofio. Trio diflannu dros dro i'r **niwl** yn dy ben. Mae hwn yn far mwy drud nag arfer. Dim siawns o weld disgyblion o'r Chweched Dosbarth. Dim lle i **gladdu peintiau** ydy o. Dw i'n edrych y part. **Parchus**. Dosbarth canol. Cŵl. Yn yfed Jack Daniel's efo rhew. Mae lyrics y band Fleur De Lys yn llenwi cornel yn fy mhen i…

    Meddwi'n dwll *ar gês o win…*

    'Dêt heb droi i fyny?'

    Dw i'n nabod y lipstic du. Yn cofio blas y *flat white* a sŵn y peiriant coffi. Mae'r diwrnod wnes i orffen efo Laura'n llifo'n ôl drosta i. Ond mae'r alcohol yn gorwedd dros fy **nerfau** i fel côt o **farnais**. Dw i ddim yn cyfaddef does gen i ddim dêt. Mi fasai hynny'n swnio fel **gwahoddiad**. Ond dw i ddim isio iddi hi feddwl fy mod i'n ddigon o ffŵl i ddisgwyl am ferch sy heb ddod.

    'Dim ond eisiau llonydd, dyna'r cyfan.'

    '**Cachu rwtsh**! Does neb yn dod i fan hyn ar ei ben ei hun, heb fod rhywun wedi ei **siomi** o. Felly pwy sy wedi dy siomi di, Mr Flat White Dim Siwgwr?'

niwl – *fog, mist*	**claddu peintiau** – *to down pints*
parchus – *respectable*	**meddwi'n dwll** – *to get rolling drunk*
nerfau – *nerves*	**farnais** – *varnish*
gwahoddiad – *invitation*	**cachu rwtsh** – *bullshit, rubbish*
siomi – *to disappoint*	

Mae hi'n fy nghofio i felly.

'Bywyd, mae'n debyg. Mae o'n fy siomi i o hyd.'

Mae hi'n **smalio** chwarae ffidil. Dw i'n gwneud y peth **bonheddig**.

'Be wyt ti'n yfed, felly, Miss Midnight Espresso?'

'Pam ti'n fy ngalw i'n hynny?'

'Meddwl ella mai dyna enw dy lipstic di pan welais i ti'r tro cynta.'

'O, mi wnes i argraff arnat ti felly?'

Ro'n i wedi plesio, mae'n amlwg. Dim dyna fy mwriad i chwaith. Mae gen i gof da am **fanylion**, dyna i gyd. Ond wnes i ddim difetha'r foment drwy ddweud hynny.

'Ydw i'n iawn?'

'Ynglŷn â beth?'

'Enw dy lipstic di.'

'Nac wyt. Ond i ateb dy gwestiwn cynta di, mi wna i gymryd un o'r rheina hefyd plis. Efo rhew.'

Mae hi'n dringo i ben y stôl uchel wrth fy ymyl. Mae fy **mhedwerydd** Jack Daniel's yn **lapio**'i fysedd yn gynnes o gwmpas fy **ymennydd** wrth i mi ei gwylio hi'n sipian ei chyntaf. Dw i'n edrych ar siâp ei bronnau hi drwy'r top **sidanaidd**. Mae arna i eisiau **cyffwrdd** y cyfan perffaith. Mae hi'n **sibrwd** un gair dros ymyl ei **gwydryn**:

'Barista.'

'Beth?'

smalio – *to pretend*	**bonheddig** – *polite, gentlemanly*
manylion – *details*	**pedwerydd** – *fourth*
lapio – *to wrap*	**ymennydd** – *brain*
sidanaidd – *silky*	**cyffwrdd** – *to touch*
sibrwd – *to whisper*	**gwydryn** – *a glass*

'Enw'r lipstic.'

Dan ni'n gadael y bar ac yn bwcio i mewn i ystafell yn y Premier Inn yn y dref. Mae arogl siampŵ'r carped **yn gymysg â**'i phersawr hi a'r Jack Daniel's ar ei **gwynt**. Ar ôl iddi gysgu dw i'n gwisgo a gadael. Pwy ydw i bellach? Dw i newydd gael rhyw efo merch dw i ddim yn gwybod dim byd amdani. Dw i ddim hyd yn oed wedi gofyn ei henw hi. Ond dw i'n gwybod be ydy enw'i lipstic hi. Rhywsut mae hynny'n iawn. Yn ddigon. Ac mae'r nos yn fwy cryf na'r whisgi, yn golchi fy **mhechodau**.

Yn **puro**'r **gwaed** fel coffi du.

yn gymysg â – *mixed with*	**gwynt** – *breath*
pechod(au) – *sin(s)*	**puro** – *to purify*
gwaed – *blood*	

Tania

Mae Sam yn fwy distaw y dyddiau hyn. Yn wahanol. Dydy pethau ddim yr un fath rhywsut ers y Diwrnod Gwisg Ffansi twp 'na. A dw i wedi sylwi ar bethau eraill yn ystod yr wythnosau diwetha. Mae o'n tyfu'i wallt yn fwy hir. Yn siafio'n fwy glân. Mae rhywbeth arall ynglŷn â'r ffordd mae o'n edrych heddiw na alla i ddim rhoi fy mys arno.

Dw i'n helpu yn ei ddosbarth o heddiw efo disgyblion Blwyddyn Naw. Oed anodd. Maen nhw yn y canol, ddim yn blant fel Blynyddoedd Saith ac Wyth, ond ddim yn ddigon **aeddfed** i fod yn **arddegwyr** go iawn, er eu bod nhw'n credu eu bod nhw. Fel arfer, mae gan Sam reolaeth dda ar ei ddosbarthiadau, gan gynnwys rhai anodd fel hyn. Mae gan y plant barch tuag ato oherwydd fod ganddo hiwmor ac mae'n eu trin nhw'n **deg**. Mae'r llinell yn fregus rhwng bod yn rhy **llac** ac yn rhy **llym**.

Mae'r plant yn gweithio mewn grwpiau. Er dydy'r sŵn yn y dosbarth ddim yn ormod, mae yna rywbeth yn **amharu** mwy nag arfer ar ambell un. Mae rhai'n giglan yn wirion ac yn gwrthod dweud pam. Mae hi fel tasai rhyw drydan yn **treiddio** trwy'r ystafell. Dw i'n gweld bod Sam wedi sylwi ac yn codi'i lais yn fwy aml nag arfer. Mae'r wers heddiw yn edrych ar y **gwrthryfel**

aeddfed – *mature*	**arddegwyr** – *teenagers*
teg – *fair*	**llac** – *slack*
llym – *strict*	**amharu** – *to impair, to disturb*
treiddio – *to pervade*	**gwrthryfel** – *rebellion*

yn Sir Benfro oherwydd y **tollbyrth** ar draws y ffyrdd. Wrth i Sam sôn am Ferched Beca, **sef** dynion yn gwisgo fel merched, mae rhai o'r bechgyn yn chwerthin yn agored. Mae Sam yn cael trafferth i'w rheoli. Dw i mor falch pan dw i'n clywed y gloch ar gyfer yr egwyl yn canu yn gynnar, achos ymarferion eisteddfod yr ysgol.

Mae Sam yn gadael ar y gloch i wneud ei ddylestswydd ar y coridorau a dw i'n cynnig aros i gadw'r llyfrau. Mae tair o'r merched yn aros i fy helpu i.

'Be oedd yn bod efo pawb heddiw, **genod**? Dydy'r dosbarth ddim mor swnllyd â hyn fel arfer.'

Maen nhw'n ddistaw i ddechrau, yn edrych ar ei gilydd **yn ansicr**. Mae'r rhain yn ferched bach da fel arfer ac mae'n amlwg eu bod nhw'n gwybod beth oedd wedi amharu ar y wers. O'r diwedd, mae Siwan yn penderfynu dweud. Mae hi'n llai swil na'r gweddill.

'Dach chi wir ddim yn gwybod, Miss?'

'Taswn i'n gwybod, faswn i ddim yn gofyn, Siw.'

'Mr Bowen, Miss.'

'Be amdano fo?'

'Fedra i ddim credu wnaethoch chi ddim sylwi!'

'Sylwi ar beth, Siw? **Tyrd yn dy flaen**. Dw i'n dechrau colli amynedd rŵan.'

Mae'r **tinc** siarp yn fy llais i yn eu **sobri** nhw. Does neb yn chwerthin rŵan.

'Miss, roedd pawb yn chwerthin achos bod Mr Bowen yn gwisgo masgara.'

tollborth (tollbyrth) – *tollgate(s)*	**sef** – *namely*
geneth (genod) – *girl(s)*	**yn ansicr** – *uncertainly*
tyrd yn dy flaen – *come on*	**tinc** – *ring, tone*
sobri – *to make someone sober or serious*	

Sam

Mae Margret Ann yn cael trafferth edrych arna i. Do'n i ddim wedi bwriadu iddi hi ddod i wybod fy nghyfrinach fel hyn. Ro'n i isio bod yn hollol siŵr cyn dweud dim wrth unrhyw un. Dim rhywbeth sy wedi digwydd i mi'n sydyn ydy o. Roedd y dillad gen i yn y drôr ers **amser maith** cyn i mi **fentro** gwisgo unrhyw beth. Dim ond edrych arnyn nhw ro'n i'n ei wneud i ddechrau. Cyffwrdd y defnydd meddal. Basai eu gwisgo nhw fel cyfaddef. Dyma ydw i. Merch yn gaeth mewn corff dyn. Mae gweld y gwir wedi bod yn rhywbeth **graddol**. Yn rhywbeth dw i wedi bod ofn ei wynebu.

'Mae dy ddillad glân ar dy wely di.'

Mae hi'n gwneud ei phwynt heb ddweud dim byd arall. Mae hi'n dweud rhwng y llinellau: faswn i byth yn agor y droriau yna eto. Dw i ddim isio gwybod mwy o dy gyfrinachau budr di. Mae'r sioc yn dal yn dynn ar ei hwyneb hi.

'Margret Ann, plis . . .'

Mae o'n **brifo** wrth ei gwylio hi'n troi ei chefn arna i.

'Dw i'n symud allan, Sam.'

Mae hi fel tasai hi wedi rhoi slap i mi ar draws fy wyneb. Dw i wedi'i **chefnogi** hi drwy bopeth: colli Mam, Gari, yr ysgariad. Ro'n i'n meddwl y gallwn i droi at fy chwaer.

'Dwyt ti ddim o ddifri?'

'Ydw. Fedra i ddim aros yma yn gwybod dy fod di'n gwneud pethau fel hyn.'

amser maith – *a long time*	**mentro** – *to dare*
graddol – *gradual*	**brifo** – *to hurt, to ache*
cefnogi – *to support*	

41

'Fel beth, Margret Ann? Dwed o. Fel beth? Gwisgo dillad merch?'

'Ti angen help, Sam. Mae **rhywbeth yn bod** arnat ti. Ti'n clywed?'

Dw i'n methu credu ei bod hi'n ymateb fel hyn. Mae ei chês hi ar y llawr wrth ei thraed. Mae golau'r tacsi tu allan yn sgwâr ac yn felyn trwy wydr y drws.

'Aros. Gad i mi **egluro**. Dw i angen siarad. Gwranda arna i, plis. Dw i ddim eisiau colli fy chwaer.'

'Ond dw i wedi colli fy mrawd.' Mae **chwerwedd** yn ei llygaid hi. **Casineb**, hyd yn oed.

'Wnei di byth fy ngholli i, Margret Ann.'

Am eiliad mae hi fel tasai ei llygaid hi'n **meddalu**. **Petruso**. Wedyn mae hi'n rhoi'r dewis i mi.

'Tafla'r dillad. Llosga nhw. Gwna unrhyw beth efo nhw. Ond paid â'u gwisgo nhw eto. Nac unrhyw ddillad merched byth eto. Ti'n **addo**? Addo hynny i mi, Sam, ac mi wna i aros. Wnawn ni byth sôn am hyn eto.'

Yn union fel Dad ers talwm ar ôl i Mam farw. Ar ôl iddo **golli arno'i hun** ac anghofio am ei blant. Bwytwch eich bacwn a'ch wyau'n blant da, a wnawn ni byth sôn eto i mi fod yn fastard **meddw** ac yn dad hunanol pan oeddech chi fy angen i fwyaf.

Ond fedra i ddim addo. Dw i'n caru fy chwaer, ond fedra i ddim addo hyn iddi hi. Mae'r ferch tu mewn i mi'n fwy cryf, yn

---

rhywbeth yn bod – *something wrong*	
egluro – *to explain*	**chwerwedd** – *bitterness*
casineb – *hatred*	**meddalu** – *to soften*
petruso – *to hesitate*	**addo** – *to promise*
colli arno'i hun – *to lose control of himself*	
meddw – *drunk*	

gofyn i mi addo wna i ddim ei gadael hi chwaith.

'Ble rwyt ti am fynd? Dim at Gari, gobeithio.'

'Na, dim at Gari.' Mae ei llygaid hi'n galed fel gwydr, ac mae hi'n edrych arna i fel taswn i hefyd wedi ei **bradychu** hi. 'Ond be bynnag wnaeth o, o leiaf roedd o'n fwy o ddyn nag wyt ti.'

Mae ei geiriau hi fel **cyllyll**. Dw i'n troi fy nghefn arni hi ac yn mynd i'r gegin rhag gorfod ei gwylio hi'n mynd. Ond dw i'n ei chlywed hi. Clywed **corn** y tacsi'n canu. Sŵn ei thraed. Sŵn cês yn cael ei **lusgo** ar hyd y llawr teils. Sŵn clep y drws.

Drws arall yn cau.

---

bradychu – *to betray*   **cyllell (cyllyll)** – *knife (knives)*

corn – *horn*   **llusgo** – *to drag*

Kim

Mae o yma. Yn eistedd wrth yr un bwrdd ag o'r blaen yn y gornel. Ro'n i'n gwybod y basai o'n dod yn ôl. Mae o'n edrych yn **welw**. Dw i'n syllu arno fo heb iddo fo wybod. Yn syllu o bell. O'r tu ôl i'r cownter uchel. Yn syllu ar ei fysedd hir, gwyn. Ei fysedd **tyner**. Yn cofio'r rhyw.

'Wyt ti'n mynd i weithio, Kim, 'ta sefyll a **synfyfyrio**?' Marco. Rêl Eidalwr. Dydy o ddim yn flin, dim ond yn mwynhau clywed sŵn ei lais ei hun.

'Yr un peth ag o'r blaen, Mr Flat White?'

'Miss Barista.' Mae o'n cofio. Mae ei lygaid o'n drist. 'Wedi dod yma i **ymddiheuro** ydw i.'

Wedyn mae o'n fy **ngwahodd** i eistedd wrth y bwrdd. Cael panad efo fo.

'Dw i ar ganol shifft. Mi ga i'r sac.'

'Sori am y noson o'r blaen.'

'Sori am gysgu efo fi?'

'Na, sori am dy adael di.'

'Ti 'nôl rŵan.'

Mae o'n archebu'i goffi arferol. Yn gofyn pryd dw i'n gorffen gweithio. Dw i'n dweud fod gen i hanner awr ar ôl. Mae o'n cymryd ail goffi. Yn disgwyl amdana i. Dan ni'n mynd yn ôl i'w dŷ o, yn cerdded heb gyffwrdd, heb siarad, dim ond gwrando ar ein gilydd yn **anadlu**, yn llyncu'r awyr iach fel tasen ni'n llowcio ffisig. Y tro yma, mae'r rhyw'n wahanol. Yn rhywbeth cyflym,

gwelw – *pale*	**tyner** – *tender, gentle*
synfyfyrio – *to daydream*	**ymddiheuro** – *to apologise*
gwahodd – *to invite*	**anadlu** – *to breathe*

angenrheidiol. Yn well na geiriau. Nes iddo fo ddweud fy enw i.

'Kim.'

'Sut wyt ti'n gwybod?'

'Gwybod beth?'

'Gwybod mai Kim ydy fy enw i?'

'Clywed Marco yn siarad â ti.'

'Ti'n clywed yn dda.'

'Dw i'n well am wrando.'

Ond dw i'n teimlo ei fod o angen rhywun i wrando arno fo. Sam ydy ei enw fo. Dw i'n gofyn ydy o'n fyr am Samuel. Mae o'n dweud mai Samson ydy ei enw fo'n llawn. Enw **Beiblaidd**.

'Roedd gan Samson yn y Beibl wallt hir fel ti hefyd.'

Mae o'n gwenu**'n gam**:

'Roedd ei **nerth** yntau i gyd yn ei wallt o.'

Mae o'n beth rhyfedd i'w ddweud. Dan ni'n gorwedd yno, ochr yn ochr, yn gwylio **pry cop** yn cerdded ar draws y **nenfwd**. Dw i'n cydio yn ei law o. A dyna pryd mae o'n dweud y cyfan wrtha i. Dydy o ddim yn fy **nychryn** i o gwbl. Dydy o ddim yn gwybod dim byd amdana i, ond mae o wedi **ymddiried** yndda i efo rhywbeth mor fawr â hyn.

'Dw i'n falch dy fod di'n teimlo dy fod yn medru ymddiried yndda i, Sam.'

'Dw i'n ymddiried yn unrhyw ferch sydd ddim ofn pry cop.'

Mae ei **gyffes** yn ein clymu ni.

angenrheidiol – *necessary*	**Beiblaidd** – *Biblical*
yn gam – *crooked*	**nerth** – *strength*
pry cop – *spider*	**nenfwd** – *ceiling*
dychryn – *to frighten*	**ymddiried** – *to trust*
cyffes – *confession*	

Yn ein gwneud ni'n un.
Mae'n teimlo, bron iawn, fel bod mewn cariad.

Sam

Kim sydd wedi fy achub i. Dydy hi ddim yn **beirniadu**. Ddim yn **gweld bai**. Mae hyd yn oed y rhyw yn teimlo'n iawn. Yn lân ac yn **bur**. Dw i ddim yn gwybod ddylwn i fod eisiau caru efo merch erbyn hyn. Dim a fi rŵan yn credu mai merch dw i i fod. Ond dw i'n teimlo'n agos at Kim. Doedd pethau ddim **cystal** â hyn efo Laura.

Mae Kim yn deall. Yn fy neall i. Mae hi'n paentio fy ewinedd i gyda'r nos. Yn rhoi ei lipstic lliw Barista ar fy ngwefusau innau. Dan ni'n edrych drwy gylchgronau ffasiwn ac mae hi'n pwyntio at bethau mae hi'n meddwl fasai'n fy siwtio i. Dw i'n eu harchebu nhw ar y we, yn eu gwisgo nhw yma efo hi gyda'r nos. Dw i ddim yn medru aros i orffen fy niwrnod gwaith er mwyn cael dod adre yn ôl at Kim. Tynnu'r crys a'r tei a'r trowsus a'r sanau dynion a bod yn fi fy hun. Gwisgo ffrog neu **ŵn nos** sidan, gadael i Kim goluro fy wyneb neu steilio fy ngwallt gyda rolyrs cynnes.

Mae Tania wedi dechrau **amau** rhywbeth. Camgymeriad oedd y masgara. Ro'n i wedi bod yn **arbrofi** rhyw noson heb **sylweddoli** nad oedd y stwff yn golchi i ffwrdd yn y gawod. Erbyn hyn dw i'n gwybod bod **weips** arbennig ar gyfer tynnu colur. Ond pan es i i'r ysgol y diwrnod hwnnw ar ôl ei drio ar fy llygaid, roedd ei **olion** yn dal i fod ar fy llygaid. Do'n i ddim

beirniadu – to criticise	**gweld bai** – to apportion blame
pur – pure	**cystal** – as good
gŵn nos – nightgown	**amau** – to suspect
arbrofi – to experiment	**sylweddoli** – to realise
weips – wipes	**olion** – remains

yn credu bod y **düwch** mor amlwg â hynny, ond mae plant yn sylwi ar bopeth. Maen nhw fel **adar ysglyfaethus**, yn methu dim. Nhw wnaeth ddweud wrth Tania, meddai hi. Doedd hi ei hun ddim wedi sylwi. Dim fel heddiw. Mi wnaeth hi sylwi heddiw.

Ro'n i'n gwneud coffi iddi hi fel bydda i'n arfer ei wneud. Yn pasio cwpan iddi hi. Ac fe sylwodd. Dim ond ôl oedd o. **Rhimyn** o staen pinc ar hyd ymyl ewin fy mawd ar ôl tynnu farnais ewinedd Kim y noson gynt. Yr unig beth a wnaeth hi oedd edrych i fyw fy llygaid i a sibrwd:

'O **nefoedd**, Sam! Mae o'n wir, tydy?'

Doedd yna ddim sioc yn ei llygaid hi, dim casineb, fel yr hyn wnes i weld yn llygaid fy chwaer. **Gofid** oedd ynddyn nhw. Mae Tania'n poeni amdana i, ond dydy hi ddim yn gwybod sut i **godi'r peth**. A dw innau ddim yn barod i wneud hynny. I ymddiried yn neb arall. Ddim eto. Ddim tra bod Kim gen i.

Mae Kim yn trio fy **mherswadio** i i fynd allan **ambell waith** mewn dillad merch. Dim ond fi a hi. I rywle lle does neb yn ein nabod ni, wrth gwrs. Mae o'n **gam mawr** ond mae Kim yn rhoi hyder i mi, yn dweud bod gan bawb hawl i fod yr hyn ydyn nhw. Ond mae gen i ofn. Ofn edrych yn wirion. Ofn ymateb pobol. Ofn tynnu sylw.

'Ond ti'n edrych yn grêt, yn enwedig efo colur a phopeth. A does dim rhaid i ti wisgo ffrog. Jîns mewn steil mwy benywaidd a thop del.'

düwch – *blackness*	**adar ysglyfaethus** – *birds of prey*
rhimyn – *rim, strip*	**nefoedd!** – *heavens!*
gofid – *concern*	**codi'r peth** – *to raise the subject*
perswadio – *to persuade*	**ambell waith** – *occasionally*
cam mawr – *a big step*	

Fe wnaethon ni arbrofi efo hynny neithiwr. Mae Kim yn iawn. Dw i'n credu 'mod i'n edrych yn dda. A phan wnaeth hi fy ngweld i yn y dillad rhoddodd gusan ar fy ngwefus. Dim cusan cariad. Roedd o'n fwy fel cusan angel. **Anwesodd** fy moch a sibrwd, yn isel, isel:

'Dim Sam wyt ti rŵan, ond Sara.'

Mae fy ngwallt i fy hun yn ddigon hir erbyn hyn a dw i ddim angen defnyddio wig. Dw i'n ei glymu o'n ôl ar gyfer gwaith a does neb yn dweud dim. Mae ambell un o fechgyn y Chweched yn gwisgo'u gwalltiau felly hefyd. Does neb yn meddwl bod hynny'n fenywaidd. Mae pêl-droedwyr yn gwisgo'u gwalltiau felly o hyd.

Dan ni'n mynd i ffwrdd dros y penwythnos. Brêc bach. Rhywle sydd yn ddigon pell. Mi wna i fentro mynd allan am bryd o fwyd yn y dillad. Esgidiau sydd yn broblem. Mae'n anodd cael rhai ffasiynol mewn maint mawr. Cadw pethau'n syml sydd orau, meddai Kim.

Syml a braf a rhydd. Neb ond Kim a Sara.

Mae'n rhaid i mi ddweud rhywbeth wrth Tania. Dw i'n disgwyl amdani hi yn yr ystafell athrawon ar ddiwedd y dydd. Mae hi wedi bod yn **osgoi** siarad efo fi ers iddi hi gyfaddef fod ganddi hi amheuon. Dim y siarad bob dydd – mae pethau fel 'Haia, sut wyt ti?' a 'Gymri di goffi?' yn ocê. Y siarad go iawn sydd yn anodd. Dw i'n gwneud yn siŵr fy mod i yn ymyl ei locer hi pan mae hi'n dod i nôl ei chôt a'i bag. Dw i ddim am adael iddi hi fy osgoi i. Osgoi hyn. Dan ni'n ormod o ffrindiau.

'Sam?'

---

anwesu – *to caress*   **osgoi** – *to avoid*

Dw i'n clywed yr ansicrwydd yn ei llais hi. Y **nerfusrwydd**. Ond bod yn onest ydy'r ffordd orau ymlaen.

'Dw i'n meddwl dy fod di'n gwybod pam dw i angen siarad efo ti, Tania.'

'Dydy hyn ddim yn fusnes i mi, Sam…'

'Ydy, mae o, Tans. Dan ni'n ffrindiau. A dw i angen bob ffrind sydd gen i ar hyn o bryd.'

'Rwyt ti o ddifri felly? Ynglŷn â newid rhyw?'

'Dydy pethau ddim mor syml â hynny. Mae'n rhaid i mi allu byw fel merch yn gyntaf cyn **ystyried** be fydd y cam nesaf.'

Cyn i mi gael cyfle i ddweud dim byd arall, mae hi'n rhoi ei breichiau amdana i.

'Dydy pethau ddim yn mynd i fod yn hawdd i ti. Be am y rhain?' Ac mae hi'n **amneidio** â'i phen tuag at y cadeiriau gwag lle mae gweddill y staff yn arfer eistedd. 'A'r plant? A Larry?'

Mae Larry Huws yn bennaeth ysgol da a theg. Mae o hefyd yn foi **deallus**. **Rhesymol**. Yn gweld y ddwy ochr bob amser. Fasai gwaeth pethau nag ymddiried yn Larry.

'Cer i'w weld o rŵan cyn mynd adre, Sam.' Mae Tania'n **synhwyro** fy mod i'n petruso. Yn cydio yn fy llaw. 'Bydd rhaid i ti ddweud wrtho fo rywbryd os wyt ti o ddifri ynglŷn â hyn.'

Dw i'n dal Larry ar ei ben ei hun yn ei swyddfa. Dydy Jen, yr **ysgrifenyddes**, ddim o gwmpas, diolch byth. Mae olion straen y diwrnod arno − tei wedi **llacio** a'i wallt yn sticio i fyny'n **bigau**

nerfusrwydd − *nervousness*	**ystyried** − *to consider*
amneidio − *to nod*	**deallus** − *intelligent*
rhesymol − *reasonable*	**synhwyro** − *to sense*
ysgrifenyddes − *secretary (female)*	**llacio** − *to loosen*
pigau − *peaks*	

doniol ar ôl tynnu ei fysedd drwyddo mewn **rhwystredigaeth**. Un olwg ar fy wyneb llwyd, nerfus ac mae o'n sylwi ar fy rhwystredigaeth innau. Mae o'n mynd i wneud y coffi ei hun i'r gegin fach sydd tu allan yn y coridor, rhwng ei swyddfa fo ac ystafell Jen. Wedyn mae o'n dod yn ôl, yn cau'r drws. Gwrando. Clywed rhywbeth nad oedd o'n disgwyl ei glywed. Tynnu ei fysedd drwy ei wallt am **y canfed tro**'r diwrnod hwnnw, mae'n debyg.

'Dw i'n falch dy fod di wedi dod i siarad efo fi cyn gwneud dim, Sam.' Mae'n cymryd llowc sydyn o'r coffi rhy boeth. 'Oes 'na rywun arall ar y staff yn gwybod?'

'Dim ond Tania.'

'A does gan neb arall unrhyw amheuon?'

Dw i'n bod yn onest. Yn egluro digwyddiad y masgara. Y ffiasgo o wers ar Ferched Beca. Mae Larry'n pwyso'n ôl yn ei gadair, yn gwasgu pennau ei fysedd gyda'i gilydd.

'Mae'n rhaid i ni feddwl yn **ofalus** am y ffordd ymlaen, Sam. Dydy bod mewn swydd fel dy un di ddim yn gwneud pethau'n haws. **Llywodraethwyr**. Rhieni. **Cyd-weithwyr**. **Heb sôn am** ymateb y disgyblion. Y nhw **fydd â'r gair olaf**. Mi fasen nhw'n medru dy **groeshoelio** di, neu dy gefnogi di **i'r eithaf**. Wyt ti'n medru aros am ychydig? Gadael hyn efo fi?' Mae o'n gweld fy mod i'n **oedi**. 'Wrth gwrs, mae'r hyn rwyt ti'n ei wneud

---

rhwystredigaeth – *frustration*

y canfed tro – *the hundredth time*

gofalus – *careful*   **llywodraethwyr** – *governors*

cyd-weithwyr – *colleagues*   **heb sôn am** – *not to mention*

fydd â'r gair olaf – *will have the last word*

croeshoelio – *to crucify, to destroy* **i'r eithaf** – *to the hilt*

oedi – *to pause*

yn dy amser personol dy hun yn fater arall. Mi fasai cyflwyno dy **sefyllfa** yn y gwaith yn medru bod yn **ffrwydrol** tasen ni ddim yn trin y peth yn iawn.'

Mae geiriau Larry'n **nodweddiadol** ohono. **Pwyllog**. Gofalus. Ystyried pob opsiwn. Dw i'n gwybod y bydd o'n gwneud ei orau i fy nghefnogi i. Ond dydy o ddim yn newyddion da, mae hynny'n amlwg. Dw i'n cychwyn am adre, a Kim, ac mae fy nghyfrinach yn pwyso arna i'n fwy trwm nag erioed.

sefyllfa – *situation*	**ffrwydrol** – *explosive*
nodweddiadol – *typical*	**pwyllog** – *prudent*

Margret Ann

Mae o wedi symud rhyw ferch i mewn i'r tŷ cyn i mi gael amser i **ddadbacio**, bron, yn fflat Phoebe, fy ffrind. Do'n i ddim yn meddwl y baswn i'n gorfod aros efo Phoebe'n rhy hir. Dwy neu dair noson ella, a basai Sam draw yn ymddiheuro, yn **crefu** arna i i ddod yn ôl adre. Basai o'n addo bod yr **hunllef** yma drosodd, bod popeth yn ôl fel roedd o. Yn lle hynny, mae'r ferch od yma wedi symud i mewn. Mae hi'n fwy ifanc na fo a golwg **braidd yn wyllt** arni hi. Neu dyna mae pobol yn ei ddweud. Ond o leiaf mae'n golygu does dim byd yn bod ar Sam, tydy? Yn golygu ei fod o'n **ailfeddwl** ynglŷn â'r **lol** yma ei fod o i fod yn ferch

Mae Phoebe'n glên, ond dan ni ddim yn ffrindiau agos iawn. Doedd hi ddim yn meddwl y baswn i'n aros efo hi'n hir iawn. Mae gen i fy ystafell wely fy hun, ond mae'r fflat yn fach a dydy Phoebe **ddim wedi arfer** rhannu efo neb. Dw i wedi ei chlywed hi'n siarad ar y ffôn efo'i chariad, yn dweud wrtho fo am beidio â dod draw i aros am ychydig o ddyddiau, tan dw i wedi gadael y fflat. Ychydig o ddyddiau. Dydy hi ddim isio i mi aros yn hir, peth **tymor byr** ydy hwn. Dw i'n teimlo'n barod fy mod i **yn y ffordd**, yn niwsans. Dan ni'n rhy **gwrtais** efo'n gilydd, yn dweud 'sori' o hyd am bethau gwirion. Dw i ofn aros yn rhy hir

dadbacio – *to unpack*	**crefu** – *to plead*
hunllef – *nightmare*	**braidd yn wyllt** – *a bit wild*
ailfeddwl – *to reconsider*	**lol** – *nonsense*
ddim wedi arfer – *not used to*	**tymor byr** – *short-term*
yn y ffordd – *in the way*	**cwrtais** – *polite*

yn y bath rhag ofn bod yn **ddifeddwl**.

Mae'n rhaid i mi siarad efo Sam. Rhoi mwy o gyfle iddo fo egluro. Dan ni wedi bod yno i'n gilydd ers pan oedden ni'n blant. Ac mae'n rhaid i mi wynebu'r gwir: heb Sam, does gen i ddim cartref. Wnaeth o ddim fy nhaflu i allan, ond wnaeth o ddim chwilio amdana i a gofyn i mi ddod yn ôl chwaith. Dw i wedi cael amser i feddwl, i dawelu. Fy lle i ydy mynd i chwilio am Sam.

Mae'r tŷ'n wag ac yn dywyll pan dw i'n cyrraedd. Does **dim golwg o** gar Sam chwaith. Dydy o ddim yna. Neu, i fod yn fanwl, dydyn *nhw* ddim yna. Dw i ddim yn hoffi'r ferch yma'n barod. I fod yn deg, dim hi sydd wedi fy ngwthio i allan o fy nghartref, ond mae o'n teimlo felly. O leiaf, doedd yna ddim perygl fasai hyn yn digwydd pan oedd o efo Laura. Dyna'r peth gorau amdani hi – roedd hi'n gorfod mynd yn ôl adre at ei gŵr bob tro.

Mae fy ngoriad i'n dal gen i. Dw i'n agor y drws ac yn mynd i mewn, yn trio peidio â theimlo fel **lleidr**. Mae llestri yn y sinc a **llwch** ar y **llechen** o flaen y stof llosgi coed. Dydy Sam ddim yn dda iawn am dacluso. Dyna pam roedd o fy angen i i edrych ar ei ôl o.

Dw i'n teimlo fel **dieithryn** wrth ddringo'r grisiau. Mae drws ystafell Sam ar agor ac mae'r ffaith eu bod nhw'n rhannu gwely yn amlwg. Mae ei dillad hi ym mhobman. Dw i'n **rhyfeddu** mor flêr ydy'r lle. Yna dw i'n sylweddoli mai dillad merched ydyn nhw i gyd. Dillad o wahanol faint. Mae sawl blows a ffrog yn

difeddwl – *thoughtless*	**dim golwg o** – *no sign of*
lleidr – *thief*	**llwch** – *dust*
llechen – *slate*	**dieithryn** – *a stranger*
rhyfeddu – *to wonder*	

edrych yn fwy. Yn fawr. Maint Sam. Mae hi'n ei **annog** o, felly. Dyna pam ei bod hi'n ei blesio. Yn cael aros yma. Hi sydd yn ei **swcro**, ei berswadio. Ei bai hi ydy'r cwbl.

Cyn i mi gael amser i droi i gyfeiriad fy hen ystafell, mae'r ffôn yn canu yn fy mhoced. Dw i'n neidio. Enw Sam sy'n **fflachio** ar y sgrin. Dan ni ddim wedi cysylltu ers i mi adael. Dw i'n cael syniad **gwallgof**: beth os ydy o'n fy ngwylio i yn rhywle... yn gwybod fy mod i yma yn y tŷ? Dw i bron â pheidio ateb. Yna, ar yr eiliad olaf, dw i'n **sweipio** i'r dde:

'Sam?'

Saib.

'Margret?' Llais merch. Ei llais hi. Hi sy'n ffonio o ffôn Sam. A dydy hi'n amlwg ddim yn gwybod bod pawb yn fy ngalw i'n Margret Ann. 'Kim sydd yma. Kim, ffrind Sam.'

Dyna sut mae hi'n ei disgrifio'i hun felly. Ffrind. A dw i'n gwybod oddi wrth ei llais hi, o'r ffaith dydy Sam ei hun ddim yn ffonio, fod rhywbeth mawr yn bod.

annog – *to encourage*	**swcro** – *to urge on*
fflachio – *to flash*	**gwallgof** – *crazy*
sweipio – *to swipe*	**saib** – *pause*

Brawd a Chwaer

Mae hi'n cael hyd i'r ward ac mae'r nyrs yn gofyn ydy hi'n **perthyn** i'r claf.

'Ydw. Fi ydy ei chwaer o.'

Mae Sam yn edrych yn **ddieithr** yn y gwely gwyn. Fasai hi ddim wedi ei nabod o. Mae'r cleisiau ar ei wyneb o wedi ei droi o'n rhywun arall, dros dro. Y **chwydd** yn ei wefus. Y llygad yn hanner cau. Mae hi yno hefyd. Mae'r **dagrau** wedi troi'r colur yn gleisiau ar ei hwyneb hithau.

'Dim bai Sam oedd o. Mae rhywun wedi **ymosod ar**no fo.'

Does dim rhaid i Margret Ann ofyn pam. Dyna sy'n digwydd mewn dinas yn y nos. Tu allan i dafarnau a **chlybiau** lle mae **chwydu** a meddwi a gweiddi a sŵn. Yn enwedig i bobol sy'n edrych yn wahanol. Sydd ddim yn ffitio. Dynion mewn dillad merched. Ond basai'n ocê i ferch fynd allan mewn boiler siwt a Dr. Martens hefyd, meddylia Margret Ann. Mae **dicter** yn llifo drosti tuag at yr hwliganiaid hyll, **dwl** wnaeth hyn iddo fo, tuag at y **rhagrith** a'r **diffyg** deall. Na, y gwrthod deall. Roedd hi wedi ofni hyn, yn gwybod y basai pethau fel hyn yn digwydd. Dyna pam ei bod hi wastad eisiau i bopeth aros yr un fath.

Mae o'n agor ei lygaid yn boenus, yn sylwi arni hi, ac mae hi'n

perthyn – *to be related*	**dieithr** – *unfamiliar*
chwydd – *swelling*	**deigryn (dagrau)** – *tear(s)*
ymosod ar – *to attack*	**clwb (clybiau)** – *club(s)*
chwydu – *to throw up*	**dicter** – *fury*
dwl – *stupid*	**rhagrith** – *hypocrisy*
diffyg – *lack*	

cydio yn ei law. Dydy hi ddim yn siarad ond mae ei llygaid hi'n dweud popeth. Yn dweud ei bod hi'n cofio pan oedden nhw'n blant, ei fod o'n mwynhau chwarae efo'r bocs gwisgo i fyny. Yn rhoi lipstic coch dros ei wyneb fel clown. Yn eistedd efo hi am oriau yn **diddanu** ei chwaer fach: doliau, **teganau** genod. Pleser oedd hynny iddo fo, dim gwaith. Mae hi eisiau dweud ei bod hi'n gwybod. Yn deall o'r dechrau heb iddo fo orfod dweud dim. Wedi gobeithio y basai o wedi dewis claddu'r teimladau peryglus fasai'n dod i'w **feddiannu**'n nes ymlaen. Achos dydy bywyd ddim bob amser yn garedig wrth bobl sy'n **mynnu bod yn driw** iddyn nhw'u hunain.

diddanu – *to entertain*	**tegan(au)** – *toy(s)*
meddiannu – *to possess*	**mynnu** – *to insist*
bod yn driw – *to remain true*	

Sam

Mae hi bron fel tasai'r wythnosau diwethaf ddim wedi digwydd. Pan ddaeth Margret Ann â fi adre o'r ysbyty, roedd pethau Kim wedi diflannu o'r tŷ. Dw i ddim wedi ei gweld hi ers y noson **erchyll** honno. Dw i ddim wedi bod yn ôl i'r bar coffi lle mae hi'n gweithio chwaith. Ella dydy hi ddim yno rŵan. Mae gen i hiraeth amdani, ond do'n i ddim yn ei charu hi. Dw i'n deall hynny erbyn hyn. Ro'n i mewn cariad efo'i **chefnogaeth** hi, efo'r byd ffantasi roedd hi'n ei gynnig i mi. Ac roedd hithau mewn cariad efo'r **arbrawf**. Realiti wedi lladd y cyffro.

Mae cael amser i ffwrdd o'r gwaith wedi bod yn help. Mae pawb yn meddwl mai stres sydd arna i, a dydy hynny ddim yn gelwydd i gyd, wrth gwrs. Dim ond Larry Huws sy'n gwybod y gwir. A Tania. Mae hi newydd fod i fy ngweld i, efo **grawnwin** a gwin a chylchgrawn *Good Housekeeping*. Mae'n bwysig cael dos o hiwmor du weithiau. Roedd hyd yn oed Margret Ann yn gweld y jôc.

Ond mae hi'n gweld mwy na hynny hefyd. Dw i'n deall hynny rŵan.

'Dw i am drio ymladd yn ei erbyn o, Margret Ann. Cadw'r peth yn breifat. Mae gen i ormod i'w golli. Basai mynd i'r ysgol fel Miss Sara Bowen yn **amhosib**.'

'Am rŵan, ella.' Mae hi'n gwenu ei chefnogaeth: **paid byth â dweud byth**.

erchyll – *hideous, horrendous*	**cefnogaeth** – *support*
arbrawf – *experiment*	**grawnwin** – *grapes*
amhosib – *impossible*	
paid byth â dweud byth – *never say never*	

Mae'n deall o'r diwedd y basai ei chefnogaeth hi'n golygu popeth i mi. Ond mae'r **ymosodiad** wedi fy nychryn i. Yn ei gwneud hi'n haws i mi dderbyn mai Sam ydw i. Dw i'n trio tawelu ofnau Margret Ann, a'i chysuro hi trwy ddweud:

'Dw i'n mynd i brynu crysau gwaith newydd fory. Cit pêl-droed.'

Ailafael yn Sam Bowen. Dyna sy'n gwneud synnwyr. **Claddu** Sara cyn iddi fy **ninistrio** i. Er bod y cyfan yn teimlo fel **marwolaeth**. Fy marwolaeth i fy hun. Ond yn rhyfedd iawn, geiriau nesaf fy chwaer sy'n fy nghysuro i:

'Beth bynnag rwyt ti'n ei wneud fory, Sam, jyst paid â thorri dy wallt, ocê?' Ac mae hi'n rhoi gwydryn o win coch ar y bwrdd o fy mlaen i ac yn **ychwanegu** gyda gwên fach gam: 'Achos yn hwnnw mae dy nerth di, cofia!'

Ac yn yr eiliad honno, mae'r waliau'n chwalu.

ymosodiad – *attack*	**ailafael yn** – *to reclaim*
claddu – *to bury*	**dinistrio** – *to destroy*
marwolaeth – *death*	**ychwanegu** – *to add*

Geirfa

absennol — *absent*
achos da — *good cause*
achub — *to rescue*
adar ysglyfaethus — *birds of prey*
Adran Hanes — *History Department*
addo — *to promise*
Addysg Grefyddol — *Religious
    Education*
aeddfed — *mature*
ael(iau) — *eyebrow(s)*
aelod(au) — *member(s)*
afiach — *unwholesome, horrible*
afresymol — *unreasonable*
angenrheidiol — *necessary*
angor — *anchor*
ailadrodd — *to repeat*
ailafael yn — *to reclaim*
ailenedigaeth — *rebirth*
ailfeddwl — *to reconsider*
amau — *to suspect*
ambell un — *a few, the odd one*
ambell waith — *occasionally*
amharu — *to impair, to disturb*
amhoblogaidd — *unpopular*
amhosib — *impossible*
amlwg — *obvious*
amneidio — *to nod*
amser maith — *a long time*
anadlu — *to breathe*
anffyddlon — *unfaithful*
annerbyniol — *unacceptable*
annog — *to encourage*
ansicrwydd — *uncertainty*
anwesu — *to caress*

anwybyddu — *to ignore*
arbrawf — *experiment*
arbrofi — *to experiment*
archebu — *to order*
arddegwyr — *teenagers*
ar ddyletswydd — *on duty*
arferol — *usual*
argraff — *impression*
ar hynny — *there and then*
arian — *silver*
arna i oedd y bai — *it was my fault*
arogl(euon) — *smell(s), aroma(s)*
arwr — *hero*
ar y naw — *extremely*
atgoffa — *to remind*
athrawon llanw — *supply teachers*

Beiblaidd — *Biblical*
beio — *to blame*
be sy'n bod? — *what's the matter?*
beirniadu — *to criticise*
bellach — *any more; by now*
benywaidd — *feminine*
blêr — *untidy*
blerwch — *untidiness, shabbiness*
blodeuog — *flowery*
bod ganddi'r wyneb — *that she had
    the cheek*
bod yn driw — *to remain true*
bonheddig — *polite, gentlemanly*
bradychu — *to betray*
braidd yn wyllt — *a bit wild*
brawddeg — *sentence*
bregus — *fragile*

brifo − *to hurt, to ache*
bron(nau) − *breast(s)*
brwdfrydig − *enthusiastic*
budr − *dirty*
bwlch − *gap*
bwriad − *intention*
byth wedyn − *ever again*

cachgi − *coward*
cachu rwtsh − *bullshit, rubbish*
cael benthyg − *to borrow*
cael hyd i − *to find*
cael llonydd − *to be left in peace*
caeth − *restricted*
cam − *step*
cam-drin − *to abuse*
camddeall − *to misunderstand*
cam mawr − *a big step*
canolfan arddio − *garden centre*
canrif(oedd) − *century (centuries)*
casáu − *to hate*
casineb − *hatred*
cefnogaeth − *support*
cefnogi − *to support*
celwydd − *lies*
cenfigennus − *jealous*
claddu − *to bury*
claddu peintiau − *to down pints*
clais (cleisiau) − *bruise(s)*
clep − *slam*
clinigol − *clinical*
clowcian − *to cluck*
clun(iau) − *thigh(s)*
clustog − *cushion, pillow*
clwb (clybiau) − *club(s)*
clymu − *to tie*
cochi − *to blush*
codi'r peth − *to raise the subject*

coluro − *to apply make-up*
colli arno'i hun − *to lose control of himself*
corn − *horn*
cornel(i) − *corner(s)*
crefu − *to plead*
creulon − *cruel*
croeshoelio − *to crucify, to destroy*
crwn − *round*
crychu − *to wrinkle*
crynu − *to shake, to shiver*
cul − *narrow*
cwlwm (clymau) − *knot(s), tie(s)*
cwrtais − *polite*
cydio yn − *to take hold of*
cyd-weithwyr − *colleagues*
cyfaddef − *to admit*
cyfeiriad − *direction*
cyfnod − *(period of) time*
cyfrinach − *secret*
cyffes − *confession*
cyfforddus − *comfortable*
cyffro − *excitement*
cyffroi − *to excite*
cyffwrdd − *to touch*
cyhuddo − *to accuse*
cyhyrau − *muscles*
cylchgrawn (cylchgronau) − *magazine(s)*
cyllell (cyllyll) − *knife (knives)*
cymhorthydd (cymorthyddion) − *classroom assistant(s)*
cymryd arni − *to pretend*
cymysgedd − *mixture*
cynllun(iau) − *plan(s)*
cynnig − *to offer*
cysgod − *shadow*
cystal − *as good*
cysuro − *to comfort*

chwaethus – *tasteful*
chwalu – *to scatter, to spread*
chwalu'n ddarnau – *to shatter into pieces*
Chweched Dosbarth – *Sixth Form*
chwerwedd – *bitterness*
chwydu – *to throw up*
chwydd – *swelling*
chwyrnu – *to growl, to snore*

dadbacio – *to unpack*
dangos parch – *to show respect*
dal ati – *to carry on*
datblygu – *to develop*
datganiad – *statement*
deallus – *intelligent*
defnydd – *material*
deigryn (dagrau) – *tear(s)*
delfrydol – *ideal*
deniadol – *attractive*
dewis – *to choose*
diawl(iaid) – *devil(s)*
dibynadwy – *dependable*
dibynnu – *to depend*
dicter – *fury*
diddanu – *to entertain*
dieithr – *unfamiliar*
dieithryn – *a stranger*
diemosiwn – *emotionless*
diemwnt – *diamond*
difeddwl – *thoughtless*
difetha – *to ruin*
diflannu – *to disappear*
diffyg – *lack*
digri – *funny*
digywilydd – *shameless*
di-lol – *no-nonsense*
dim byd o'i le – *anything wrong*
dim golwg o – *no sign of*

dinistrio – *to destroy*
diogel – *safe*
direidi – *mischief*
disgrifio – *to describe*
disgwyl – *to expect*
disgyn – *to fall*
distawrwydd – *silence*
does dim amheuaeth – *there's no doubt*
dros dro – *temporary, short-term*
drwgdybus – *suspicious*
drysu – *to confuse, to make things difficult*
düwch – *blackness*
dwfn – *deep*
dwl – *stupid*
dwrn – *fist*
dwyn – *to steal*
dychryn – *to frighten*
dylwn i – *I should*
dynwared – *to imitate*

ddim wedi arfer – *not used to*

edmygu – *to admire*
edrych ei hoed – *to look her age*
edrych i fyw fy llygaid – *to look me straight in the eye*
effeithio – *to affect*
egluro – *to explain*
eironi – *irony*
erchyll – *hideous, horrendous*
esgus – *excuse*
estyn – *to pass*
estyn am – *to reach for*
ewin(edd) – *nail(s)*

farnais – *varnish*
fel arfer – *usually*

fydd â'r gair olaf – *will have the last word*

ffaith – *fact*
ffedog – *apron*
fflachio – *to flash*
fforddio – *to afford*
ffrwydrol – *explosive*
ffug – *fake*

galar – *grief*
gast – *bitch*
geneth (genod) – *girl(s)*
gofalus – *careful*
gofid – *concern*
golygu – *to mean*
golygus – *handsome*
graddol – *gradual*
grawnwin – *grapes*
greddf – *instinct*
gronynnau llwch – *dust particles*
gwadu – *to deny*
gwaed – *blood*
gwaeth – *worse*
gwag – *empty*
gwahaniaeth – *difference*
gwahanu – *to separate*
gwahodd – *to invite*
gwahoddiad – *invitation*
gwallgof – *crazy*
gwasanaeth – *service*
gwasgu – *to squeeze*
gweddill – *the remainder*
gweddus – *decent*
gwefus(au) – *lip(s)*
gweiddi – *to shout*
gweld bai – *to apportion blame*
gwelw – *pale*
gwerthfawrogi – *to appreciate*

gwirionedd – *truth*
gwneud synnwyr – *to make sense*
gŵn nos – *nightgown*
gwrth-ffeministaidd – *anti-feminist*
gwrthod – *to refuse*
gwrthryfel – *rebellion*
gwthio – *to push*
gwydryn – *a glass*
gwylltio – *to enrage*
gwynt – *breath*

haeddu – *to deserve*
hasl – *hassle*
hawl – *a right*
haws – *easier*
heb sôn am – *not to mention*
hen bryd – *about time*
hen lawiau – *old hands, people with experience*
herio – *to challenge, to defy*
hiraeth – *longing*
hofran – *to hover*
hunan-barch – *self-respect*
hunanol – *selfish*
hunllef – *nightmare*
hyder – *confidence*
hŷn – *older*

iach – *healthy*
i fod – *supposed to*
igian crio – *to sob*
i raddau – *to some extent*
i'r eithaf – *to the hilt*

lapio – *to wrap*
les – *lace*
lol – *nonsense*

llac – *slack*
llacio – *to loosen*
llawr (lloriau) – *floor(s)*
llechen – *slate*
lleidr – *thief*
llifo – *to flow*
llithro – *to slip, to slide*
llogi – *to hire*
llond bol – *a bellyful, enough*
llond fy nwylo – *my hands full*
llosg – *a burn*
llowc – *gulp*
lluchio – *to throw*
llusgo – *to drag*
llwch – *dust*
llydan – *broad*
llym – *strict*
llyncu deigryn – *to swallow a tear*
llywodraethwyr – *governors*

maint – *size*
manylion – *details*
marwolaeth – *death*
meddalu – *to soften*
meddalwch – *softness*
meddiannu – *to possess*
meddw – *drunk*
meddwi'n dwll – *to get rolling drunk*
meddwl y byd o – *to think the world of*
mentro – *to dare*
mentrus – *daring*
miniog – *sharp*
modrwy(au) – *ring(s)*
morgais – *mortgage*
morlew – *sea lion*
morwyn – *maidservant*
mowldio – *to mould*
mygu – *to suffocate*

mynnu – *to insist*

nefoedd! – *heavens!*
nenfwd – *ceiling*
nerfau – *nerves*
nerfusrwydd – *nervousness*
nerth – *strength*
niwl – *fog, mist*
nodweddiadol – *typical*
normalrwydd – *normality*
nicyrs – *knickers*

o ddifri – *seriously*
oedi – *to pause*
o'i le – *wrong*
olion – *remains*
osgoi – *to avoid*

paid byth â dweud byth – *never say never*
parchus – *respectable*
parhau – *to continue*
patrwm (patrymau) – *pattern(s)*
pechod(au) – *sin(s)*
pedwerydd – *fourth*
penderfynu – *to decide*
pennaeth – *headteacher, head*
perffaith – *perfect*
persawr – *perfume*
perswadio – *to persuade*
perthyn – *to be related*
perthynas – *relationship*
peryglus – *dangerous*
petruso – *to hesitate*
pig – *beak*
pigau – *peaks*
pishyn del – *an attractive person, a babe*
piso chwerthin – *to wet oneself laughing*

piws – *purple*
plesio – *to please*
plygu – *to fold*
popty – *oven*
priod – *married*
procio – *to poke, to stimulate*
profiad – *experience*
p'run bynnag – *anyway*
pry cop – *spider*
pryfocio – *to provoke*
pur – *pure*
puro – *to purify*
pwll (pyllau) – *puddle(s)*
pwyllog – *prudent*
pwysau – *pressure*
pwyso ar – *to lean on, to rely on*

rhagrith – *hypocrisy*
rhannu – *to share*
rhed! – *run!*
rhentu – *to rent*
rheolaeth – *control*
rheol(au) – *rule(s)*
rheswm – *reason*
rhesymol – *reasonable*
rhiant – *parent*
rhimyn – *rim, strip*
rhwystredigaeth – *frustration*
rhyddid – *freedom*
rhyfeddu – *to wonder*
rhyw – *sex, gender*
rhywiol – *sexual*
rhyw noeth – *naked sex*
rhywbeth yn bod – *something wrong*

saib – *pause*
sef – *namely*
sefyllfa – *situation*

sefyll yn y bwlch – *to protect (lit. to stand in the gap)*
sengl – *single*
siafio – *to shave*
sibrwd – *to whisper*
sicrwydd – *certainty*
sidan – *silk*
sidanaidd – *silky*
siomedig – *disappointed*
siomi – *to disappoint*
smalio – *to pretend*
smwddio – *to iron*
sobri – *to make someone sober or serious*
styden – *stud*
swcro – *to urge on*
sweipio – *to swipe*
swta – *abrupt, surly*
sydyn – *sudden*
sylw – *attention*
sylweddoli – *to realise*
sylwi – *to notice*
syllu – *to stare*
synfyfyrio – *to daydream*
synhwyro – *to sense*

tân gwyllt – *fireworks*
tawelu – *to calm*
teg – *fair*
tegan(au) – *toy(s)*
tinc – *ring, tone*
tollborth (tollbyrth) – *tollgate(s)*
torri gwynt – *to break wind*
trafferth – *trouble*
trawiadol – *striking*
trawsnewidiad – *transformation*
treiddio – *to pervade*
trin – *to treat*
tristwch – *sadness*

troi ar ei sawdl – *to turn around (lit. to turn on her heel)*
twll (tyllau) – *hole(s)*
tymor byr – *short-term*
tyner – *tender, gentle*
tynnu ar – *to tease*
tynnu sylw – *to draw attention*
tyrd yn dy flaen – *come on*
tywallt – *to pour*
tywyllwch – *darkness*

undeb – *union*
union – *exact*

wastad – *always*
wedi arfer bod – *used to being*
weips – *wipes*
wela i ddim bai arni – *I don't blame her*
wetres – *waitress*

y canfed tro – *the hundredth time*
ychwanegu – *to add*
y ddaear – *the earth*
y fath beth – *such a thing*
ymateb – *reaction; to react*
ymdrech – *effort*

ymddiheuro – *to apologise*
ymddiried – *to trust*
ymddwyn – *to behave*
ymennydd – *brain*
ymgais dila – *a feeble effort*
ymlacio – *to relax*
ymladd – *to fight*
ymosod ar – *to attack*
ymosodiad – *attack*
ymrwymo – *to commit*
ymuno – *to join*
ymyl – *edge*
yn ansicr – *uncertainly*
yn enwedig – *especially*
yn fanwl gywir – *strictly accurate*
yn fwy na balch – *more than pleased*
yn gaeth i – *addicted to*
yn gam – *crooked*
yn gymysg â – *mixed with*
yn syth – *straight away*
yn y dirgel – *in secret*
yn y ffordd – *in the way*
ysgafnder – *lightness*
ysgrifenyddes – *secretary (female)*
ysgwyd – *to shake*
ystafell athrawon – *staff room*
ystyried – *to consider*

Llyfrau lefel Sylfaen eraill yn y gyfres amdani:

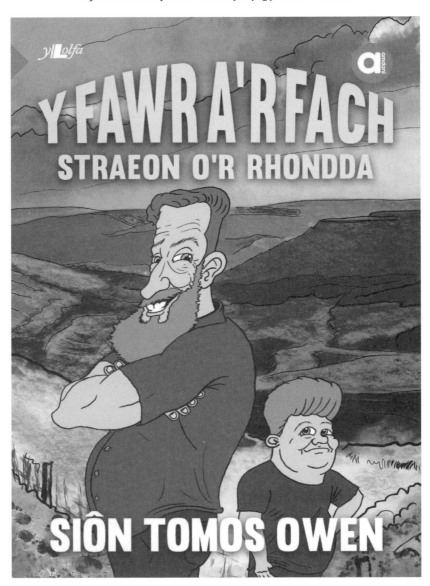

£5.99